SUDOKU

SUDOKU

ARCTURUS

ARCTURUS

This edition published in 2020 by Arcturus Publishing Limited
26/27 Bickels Yard, 151–153 Bermondsey Street,
London SE1 3HA

ISBN: 978-1-78828-442-4
AD006126NT

Printed in China

Contents

How to Solve a Sudoku Puzzle

Each puzzle begins with a grid in which some of the numbers are already in place:

	9	6			8		3	
		1		4	2			
5						8	1	9
4		7	1	2				3
		8	7		6	5		
2				9	4	6		1
8	7	2						5
			3	5		1		
	3		2			4	6	

You need to study the grid in order to decide where other numbers might fit. The numbers used in a sudoku puzzle are 1, 2, 3, 4, 5, 6, 7, 8 and 9 (0 is never used).

For example, in the top left box the number cannot be 9, 6, 8 or 3 (these numbers are already in the top row); nor can it be 5, 4 or 2 (these numbers are already in the far left column); nor can it be 1 (this number is already in the top left box of nine squares), so the number in the top left square is 7, since that is the only possible remaining number.

A completed puzzle is one where every row, every column and every box contains nine different numbers, as shown below:

Column ↓

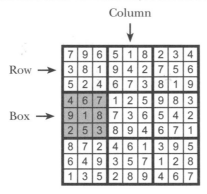

Row →

Box →

7	9	6	5	1	8	2	3	4
3	8	1	9	4	2	7	5	6
5	2	4	6	7	3	8	1	9
4	6	7	1	2	5	9	8	3
9	1	8	7	3	6	5	4	2
2	5	3	8	9	4	6	7	1
8	7	2	4	6	1	3	9	5
6	4	9	3	5	7	1	2	8
1	3	5	2	8	9	4	6	7

1 ✧

3	4	5	2	7	8	1	6	9
6	8	1	5	4	9	2	7	3
2	9	7	3	1	6	8	4	5
7	5	3	1	6	2	4	9	8
4	2	9	8	3	5	7	1	6
1	6	8	4	9	7	5	3	2
8	7	4	6	2	3	9	5	1
9	3	2	7	5	1	6	8	4
5	1	6	9	8	4	3	2	7

✧ 2

1	3	2	4	9	6	8	5	7
9	5	8	1	3	7	4	2	6
7	4	6	8	2	5	1	9	3
8	2	4	6	1	9	3	7	5
3	1	7	2	5	8	9	6	4
6	9	5	7	4	3	2	8	1
4	8	1	5	6	2	7	3	9
2	6	3	9	7	1	5	4	8
5	7	9	3	8	4	6	1	2

3 ✦

7	1	5	2	4	6	9	3	8
9	2	8	3	5	1	7	6	4
6	4	3	7	8	9	1	2	5
8	6	7	9	2	4	5	1	3
4	3	1	5	6	8	2	7	9
2	5	9	1	3	7	4	8	6
5	9	2	8	1	3	6	4	7
1	8	6	4	7	5	3	9	2
3	7	4	6	9	2	8	5	1

✧ 4

2	6	1	7	3	9	8	4	5
5	3	4	2	1	8	6	9	7
9	7	8	6	4	5	3	1	2
7	9	2	1	6	3	5	8	4
1	5	3	8	7	4	9	2	6
4	8	6	9	5	2	7	3	1
3	1	9	5	2	7	4	6	8
8	2	7	4	9	6	1	5	3
6	4	5	3	8	1	2	7	9

12 45 7

5 ✧

6	4	1	5	2	7	3	8	9
8	3	5	9	1	6	4	7	2
7	2	9	8	4	3	6	1	5
2	1	3	7	5	8	9	6	4
4	8	7	2	6	9	1	5	3
5	9	6	1	3	4	7	2	8
3	7	4	6	8	5	2	9	1
9	5	2	3	7	1	8	4	6
1	6	8	4	9	2	5	3	7

✧ 6

8	6	4	9	3	7	2	5	1
9	3	5	1	4	2	6	8	7
7	2	1	8	5	6	4	3	9
1	4	8	5	6	9	3	7	2
6	7	2	3	1	4	5	9	8
5	9	3	2	7	8	1	4	6
4	8	9	6	2	3	7	1	5
3	5	6	7	9	1	8	2	4
2	1	7	4	8	5	9	6	3

7 ✧

5	3	1	2	6	7	8	9	4
4	2	9	5	3	8	7	6	1
6	7	8	1	4	9	5	3	2
8	9	7	6	1	4	3	2	5
3	6	5	9	8	2	4	1	7
1	4	2	7	5	3	6	8	9
2	5	4	3	9	6	1	7	8
9	1	3	8	7	5	2	4	6
7	8	6	4	2	1	9	5	3

✧ 8

1	5	6	2	7	9	8	4	3
8	7	9	3	4	1	2	5	6
3	4	2	8	5	6	1	7	9
6	1	8	5	3	4	7	9	2
5	9	4	7	1	2	6	3	8
7	2	3	9	6	8	5	1	4
2	3	7	4	8	5	9	6	1
9	6	5	1	2	3	4	8	7
4	8	1	6	9	7	3	2	5

9 ✧

2	8	7	3	6	5	1	9	4
3	9	4	1	2	7	8	6	5
5	1	6	9	4	8	3	2	7
9	4	8	6	7	3	5	1	2
6	7	2	5	1	4	9	3	8
1	5	3	2	8	9	7	4	6
7	2	9	8	3	6	4	5	1
4	3	1	7	5	2	6	8	9
8	6	5	4	9	1	2	7	3

✧ 10

6	7	4	8	2	9	5	1	3
1	5	2	7	6	3	9	8	4
8	3	9	5	4	1	2	6	7
3	2	1	9	5	8	7	4	6
4	6	5	1	7	2	8	3	9
7	9	8	6	3	4	1	2	5
5	4	7	2	8	6	3	9	1
9	8	6	3	1	5	4	7	2
2	1	3	4	9	7	6	5	8

11 ✧

3	1	5	6	8	9	4	7	2
7	4	2	5	7	1	8	3	6
6	7	0	3	2	4	9	5	1
7	8	9	1	6	3	5	2	4
4	6	3	7	5	2	1	9	8
5	2	1	9	4	8	7	6	3
1	3	4	2	9	7	6	8	5
8	9	6	4	3	5	2	1	7
2	5	7	8	1	6	3	4	9

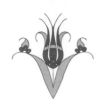

✧ 12

1	9		6			3	7	2
4	5				2		9	
		2		8	7			1
	3			2		8		6
	1		8	4	9		3	
7		4		6			2	
8			3	9		7		
	7		4				6	5
6	4	1			5		8	3

13 ✧

7	3				9	1	8	
		4	8		2		3	9
	5	9		1	6			
6			9	5				1
2	8			3			9	5
5				6	8			7
			7	9		4	5	
4	7		6		3	9		
	1	8	4				6	3

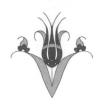

14

	6	9		3				1
	2			1	4	8	3	
1			7			4	5	9
	4			6	1			5
6		8		5		1		2
5			3	8			4	
8	9	4			2			3
	7	1	5	4			6	
3				9		7	2	

15 ✧

	6		7	3		8		
	3	9	2				6	5
7					8	9		4
				5	2	1	4	9
5		8		7		6		3
1	2	4	3	9				
2		7	6					1
9	4				5	3	8	
		1		4	7		5	

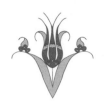

✧ 16

1			7		3		4	9
7	5				8			1
			1	5	9		8	2
		6		9	7	2		
8		2		1		3		7
		5	8	2		9		
2	4		6	8	5			
9			4				7	5
5	8		9		1			6

17 ✧

6		8		7			3	
3		4		9		5	2	
7	9			2	1			8
5			8			6		
	3	6	2		7	8	9	
		1			9			4
9			1	5			8	3
	5	2		3		9		1
	4			8		7		6

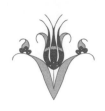

✧ 18

	6	8		4		2	5	
1					3		9	
	2		6	9			7	4
8		6	2			9	3	5
		4		6		7		
2	5	1			9	6		8
6	3			5	1		8	
	1		4					9
	8	9		7		5	1	

19 ✧

5			7			2	1	9
	9			6	2	4		5
3		4			9	8		
		1		9			6	7
		5	6	3	8	1		
2	3			7		9		
		2	3			7		4
6		9	1	8			2	
7	5	3			4			1

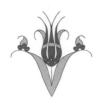

✧ 20

1				4	7		6	9
	4	2				5		8
	8			9		1		3
5			2		6	7		
	6	1	4		9	3	8	
		3	1		8			2
3		9		1			5	
7		6				4	2	
8	1		7	2				6

21 ✧✧

		1		6			4	
9			3		7	5		6
5			2		1	7		
2			4			8	7	
6				3				1
	1	9			5			3
		4	6		8			5
1		8	7		3			4
	5			9		2		

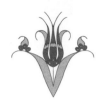

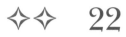

✧✧ 22

2	7	1				8	9	3
		3	9			7		
5			2	3				6
		2			3			4
	1		7		5		8	
9			6			1		
1				4	8			9
		5			2	6		
8	2	4				5	7	1

23 ✧✧

			3	9	2			
6						1	7	
4		8		6			2	5
		5			6	9	3	7
	7		2		3		4	
1	8	3	7			6		
3	2			7		5		6
	1	7						4
			4	2	8			

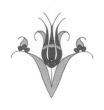

✧✧ 24

		8		1	5	6		
4	3	1				5	9	7
	7				4		1	
		2	1				5	
3			6		7			9
	9				8	4		
	8		5				6	
7	6	9				3	2	5
		4	3	2		9		

25 ✧✧

1			6		5		8	
2	4		9					6
			1	8			9	7
		7		6	4	1		
4		3				7		8
		6	8	7		2		
7	8			2	6			
5					8		2	4
	9		4		3			5

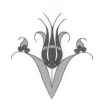

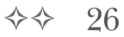

26

	1	7		9		4	5	
4			5		6			2
	2			7			3	
	7	3	9		5	8	2	
8			3		7			5
	9	5	8		4	7	6	
	6			5			8	
7			6		8			1
	8	1		3		5	4	

27 ✧✧

4	7		5				6	2
5		6			3	4		1
9				4				5
	3	5		9	8			
		7				2		
			7	6		1	5	
3				1				9
7		8	2			3		4
1	9				4		8	6

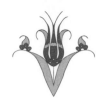

✧✧ 28

7		3	5	4				
		1	7			2		6
4			1		9	5		
	5			1	6		3	
	3	4				6	8	
	2		4	3			1	
		9	6		8			7
2		6			4	9		
				2	1	3		4

29 ✧✧

		1		7		9		
7		2		8		3		4
	4		3		6		1	
9		7	8		3	1		5
	5		9		7		3	
3		8	5		4	6		7
	7		6		5		2	
2		5		9		4		3
		6		3		5		

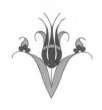

✧✧ 30

2	1				5		7	
			2			3	5	1
		7		8	9			4
	6			1		5		7
	9		8		4		3	
1		4		6			9	
3			7	4		6		
6	7	9			1			
	8		6				2	5

31 ✧✧

		4	7				1	6
			4			5		
7	5			3	9			4
8	9				1		3	2
		3		8		7		
2	4		5				6	8
3			8	4			5	1
		1			2			
5	2				6	9		

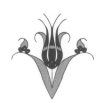

✧✧ 32

			6	3		7	9	
	8	1	7				4	
	6		4		5	3		
4			3	9				8
2	1						3	9
9				4	1			6
		7	1		2		5	
	5				3	8	1	
	9	3		8	4			

33 ✧✧

6		4	3	1				5
	5				6	7		9
					5		4	
2		3	7			1		8
	1			2			6	
8		5			4	9		2
	7		8					
4		8	9				3	
1				5	2	4		7

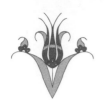

✧✧ 34

2					6			
	5	6			7			1
	9		8	3		5	2	
	6	3	5			7	8	
9				8				4
	8	1			2	9	6	
	4	5		9	1		3	
3			4			2	7	
			3					5

35 ✧✧

4				6		5		
	6	8	7		2		3	
		7	5		9		8	
	2		8			3		5
	5			2			6	
7		1			4		9	
	8		1		6	4		
	4		2		7	1	5	
		9		3				8

41

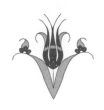

✧✧ 36

3	5		9	1				7
4	9	8			2			
		1		3			8	6
		4	1	6				
	1	7				6	5	
				5	3	4		
7	2			8		3		
			7			5	9	8
6				9	4		1	2

37 ✧✧

3			2		5	7		8
		1		4			9	
9			7		6	3		
	5	7			3			1
8				2				6
2			9			4	8	
		5	8		1			9
	3			6		8		
6		9	5		2			4

✧✧ 38

1				5		3	9	
3	4	7	2					
	5	6		1	7		8	
			5	6				4
8		1				6		9
4				9	1			
	9		4	7		1	2	
					8	7	3	6
	8	2		3				5

39 ✧✧

		9	6				7	
6			9	4	2			8
5	1		3				4	6
		7	8				2	
4	6						9	7
	5				9	3		
1	3				6		8	2
9			2	7	5			1
	2				8	5		

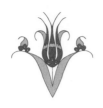

✧✧ 40

		9	6	4	5	8		
	6		3					5
3		5	7			9		2
5					3		4	
8		4				1		7
	2		8					6
1		7			2	6		9
4					7		8	
		3	5	1	8	7		

41 ✧✧

4	3						1	
8			1	5		4	9	
2			4		3			5
				6	4	3	7	
		9	2		7	5		
	8	7	9	1				
5			7		9			8
	1	4		8	6			7
	2						3	6

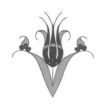

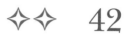

✧✧ 42

			1			7	4	9
		4		2	9		3	
6	5				4			8
	9	5		1				4
3			2		8			7
7				4		2	1	
9			5				6	1
	2		7	8		9		
5	1	3			6			

43 ✧✧

2	4		8					
9			5	6		7	2	
		5	7			8		4
4	3		1			2		
	8		4		7		9	
		6			9		3	1
7		1			5	3		
	5	3		2	8			7
					1		6	9

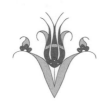

✧✧ 44

	2		1		8			9
	9		7		4		3	8
5				6		2		
	4				2	3		6
	3			4			1	
8		7	9				5	
		9		1				3
2	1		4		7		6	
7			5		3		2	

45　✧✧

2	4				1		3	
	9		6			8		5
3			2	7		6		
7	3	4		9	5			
8								1
			4	6		7	9	3
		1		5	2			8
9		5			4		6	
	2		8				7	9

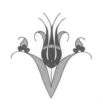

✧✧ 46

	8	6	4			1	7	
	5		2	9	7		8	
		7	1					2
9					1	7		
	3	4				5	9	
		2	5					6
5					4	9		
	4		7	3	5		1	
	2	8			6	3	4	

47 ✧✧

3	4	7				8	5	9
		2	7	8		6		
8			5					4
7					8	1		
	3		4		2		9	
		5	6					3
2					7			6
		3		1	9	5		
1	7	9				3	4	2

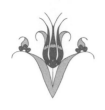

✧✧ 48

2	1			3	4			
	8	7		1				9
	9	6				5		3
		4			2		6	
9		8	3		1	7		2
	5		7			8		
5		3				2	4	
6				7		1	8	
			4	5			9	7

49 ✧✧

		5		4		2	3	9
		7	3	1				
		6			9			
5	3		9		1		7	4
	2	9				8	1	
6	7		8		4		5	2
			5			4		
				8	3	7		
8	5	2		6		3		

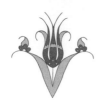

✧✧ 50

8						9		1
2	6			5	9	7		
		4	7		3	5		
5	7		3	2				
	3		8		7		4	
				9	6		1	7
		8	6		1	4		
		5	2	4			6	3
1		6						2

51 ✧✧

	5	7		9		6	8	
		6	7	5		2		3
8					1			
	3		8			5	7	4
	9						1	
5	8	2			4		3	
			2					7
1		9		8	3	4		
	4	5		1		3	6	

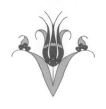

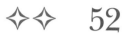

✧✧ 52

		8	3			9		
3	9	7				5	1	8
	2		1	9			6	
		5	2				3	
7			8		6			5
	4				9	1		
	3			4	7		5	
8	5	6				4	7	1
		2			1	6		

53 ✧✧

4							8	7
	9		8		7		3	
1		8	4	9			5	
6		7		2	8			
		9	3		6	1		
			1	4		6		5
	6			5	2	8		4
	5		6		1		9	
7	2							3

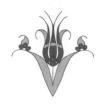

✧✧ 54

		7		9		3	8	6
		4	7		8			
		3	5	1	6			
	4		8		1			3
1		8				2		9
3			9		4		5	
			6	7	3	5		
			2		5	9		
6	2	5		4		7		

55 ✧✧

	3	9	5					1
	5		7	6		8		
8					2	7		4
				1	9	6	4	8
		2				3		
1	6	8	4	5				
6		1	3					7
		3		9	7		2	
5					4	1	9	

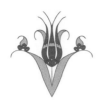

56

		8	7		3	6		
4	1		5	6		3		
	9					5	2	
			4	5			3	2
7			3		9			8
3	6			1	7			
	2	4					1	
		6		8	1		7	4
		9	2		4	8		

57 ✧✧

6				4				8
	4	7	6		9	3	5	
	5		3		1		4	
4			2	7	3			9
	2	1				4	7	
9			4	1	5			3
	1		7		4		8	
	8	6	1		2	9	3	
5				3				1

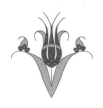

58

			6	2	8			
4	3			1		2		5
8						9	1	
1	7	5	4				3	
		8	5		2	1		
	4				1	6	5	9
	9	1						4
3		2		4			6	8
			2	7	5			

59 ✧✧

		5	2		4		1	
	3	1	5		8		6	
7				3		2		
	8		1			6		2
	2			8			3	
5		9			7		4	
		4		6				1
	7		8		5	9	2	
	1		9		3	7		

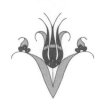

✧✧ 60

2	5	6				8	3	1
1			2	6				7
		8	5			9		
		5	4					6
	1		8		3		2	
7					9	1		
		4			7	3		
8				4	5			9
5	3	1				2	7	4

61 ✧✧

8	4	7			9			
6				4		5	9	
	5	1	3	7			2	
				2	1			3
2		8				1		9
3			6	8				
	9			1	7	8	6	
	2	4		6				1
			5			7	3	4

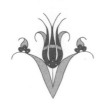

✧✧ 62

	2		1		9		5	
8		7		5	4		1	
		3				6	4	
1		5	9	7				
9			3		1			2
				4	8	1		6
	8	6				7		
	5		7	2		9		8
	3		8		6		2	

63 ✧✧

2			7					4
8	7	5				1	3	2
		1	5	8		6		
7			9			8		
	1		2		3		5	
		6			4			1
		2		9	7	4		
1	3	7				9	6	5
9					6			3

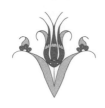

✧✧ 64

			1	9		8	3	
	6	9	8				7	
	7		5		6	4		
9				3	8			1
3	8						6	5
2			6	1				3
		8	7		1		2	
	1				4	6	9	
	3	4		8	2			

65 ✧✧

				8	7	6	9	
	4	1			6		2	
	7		3		2	8		
2				9	8			4
5	1						8	9
9			1	2				7
		6	5		1		3	
	3		8			4	1	
	9	8	2	4				

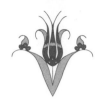

✧✧ 66

9		3	1		2	7		
2			5		8	9		
	4			3				8
6	2		4			5		
		8		1		3		
		1			9		8	7
5				7			9	
		9	3		6			4
		4	2		1	8		6

67 ✧✧

7		4	8	5		1		
5					2		7	
8	6				1	3		
1				2		9	5	
	2		1		8		4	
	7	8		4				3
		9	7				2	1
	8		9					6
		3		6	5	7		9

73

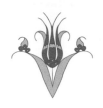

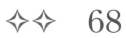

✧✧ 68

6	4					9		
	3	1		6		8		7
			9	3	2			
7					8	6	1	5
	6		3		1		9	
1	2	4	6					8
			1	5	3			
2		9		8		7	3	
		8					6	4

69 ✧✧

	7			9	5	2	6	
		3	8					
9	5			1			7	3
2					3	4	9	5
1								8
3	6	9	4					2
4	9			8			2	7
					6	5		
	1	8	2	3			4	

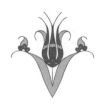

✧✧ 70

		6			7			
		8		2		3	1	7
		9	8	1				
7	3		6		1		2	9
5		1				4		3
9	6		5		4		7	8
				5	8	9		
8	4	3		6		7		
			4			2		

71 ✧✧

5	9		6					
		8	2			6	5	
	4		8	1		2		9
3	5		7			9		
6			5		2			4
		1			4		7	3
8		3		9	6		2	
	2	7			8	3		
					7		4	1

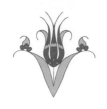

✧✧ 72

8					6	1		
	6				4	9		7
	2		5	1		6	4	
4	8			3		2		
7			8		9			3
		9		7			6	5
	3	4		5	8		9	
1		8	9				2	
		5	7					4

73 ✧✧

	4	5		2				6
					9	3	7	4
		1	7	6		2	8	
3				8	2			
5	8						6	1
			6	5				3
	6	9		7	3	5		
8	7	4	1					
2				4		1	9	

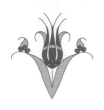

✧✧ 74

9	4	8			1			
		7		6			8	3
6	5		4	7				2
				5	6	9		
	7	2				3	5	
		9	7	3				
3				4	9		7	1
2	1			8		6		
			2			5	4	8

75 ✧✧

	2		7	6		9		
3			4			6	1	
5	1				2			7
1	8	5		3	4			
	9						2	
			6	1		4	5	8
8			9				7	4
	6	2			3			1
		3		5	7		8	

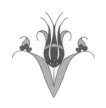

✧✧ 76

	3			6		7	4	2
	5		7					
	8			1	2			
8		5	6		9	4		3
4	7						9	1
2		3	1		7	6		8
			2	9			8	
					3		6	
3	4	9		5			2	

77 ✧✧

		7			1	4		9
6				5	7	1	3	
3	9				4			
9	2				8	3		
	4		1		9		6	
		5	6				2	8
			8				5	6
	7	2	4	3				1
1		8	7			2		

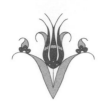

✧✧ 78

		7				6	4	
	5		3		1		8	
9		2		8	4		3	
				4	9	3		6
1			7		3			5
3		8	1	2				
	8		2	5		1		9
	7		9		6		5	
	9	6				2		

79 ✧✧

8		6		5		7		3
			2				6	
4	1			7	3			8
7	9	3			6	1		
		2				5		
		1	9			6	7	4
9			1	6			2	5
	3				4			
1		8		2		9		7

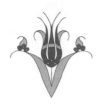

✧✧ 80

	3		1		2	8		
4				7			2	
	8	7	5		3	6		
		5			8		6	2
		2		5		7		
3	9		4			1		
		4	3		5	2	9	
	1			6				8
		8	7		9		4	

81 ✦✦✦

1			5					2
			7	2		4	9	
						7	8	
8					1			
		4		7		2		
			6					3
	8	3						
	7	9		4	5			
4					8			6

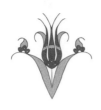

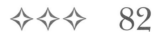

✧✧✧ 82

	4	3	5		9			
	9	8	2		1			
2				8				
		5	7		4	9	1	
9								7
	1	4	6		2	5		
				2				5
			3		8	2	7	
			9		6	1	8	

83 ✧✧✧

	1		2		7		4	
	6						2	
8		7		3		9		5
1				2				6
			4		3			
6				9				8
7		2		4		5		1
	9						6	
	3		5		9		8	

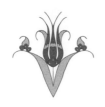

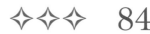

✧✧✧ 84

		4			9			
1								8
6			4	5				2
				9			8	7
2	9		8		6		1	3
4	1			3				
7				6	4			5
9								6
			5			3		

85 ✧✧✧

	8	1				5	4	
		2				3		
	5		9		4		7	
7			8	2	9			4
2			6	1	3			5
	6		5		7		1	
		7				4		
	4	8				6	3	

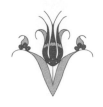

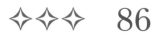

✧✧✧ 86

	8						1	
	2		5		9		8	
9		5				3		7
		8		3		7		
	3		1		7		6	
		1		6		4		
1		6				2		9
	4		9		2		5	
	7						4	

87 ✧✧✧

		5		1		4		
	2		9		6		7	
9			5		8			6
	8	7				9	4	
2								8
	3	6				1	2	
6			1		4			2
	5		8		7		9	
		9		6		3		

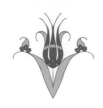

✧✧✧ 88

	1	9				6	8	
			7		5			
5	8						2	7
		5	3		4	1		
			2		7			
		6	9		8	4		
1	9						6	3
			6		1			
	3	2				5	1	

89 ✧✧✧

	7		2					
	2	8		5				
			7		3			6
3	1				6			
	5			7			9	
			4				7	1
4			8		7			
				9		7	5	
					4		2	

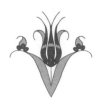

90

		1				5		
		6	8	5		3		
					3			9
	2	8		9				
	1	7	5		4	9	2	
				1		6	4	
8			1					
		5		3	8	7		
		2				4		

91 ✧✧✧

	2	1		3		5	9	
	6						7	
		4	6		7	2		
			4		9			
	9						6	
			1		3			
		2	9		8	3		
	8						1	
	3	7		4		9	8	

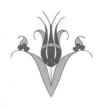

✧✧✧ 92

3					7			
8			4	5				
9				1		6	7	8
		8					4	
7		5				1		2
	3					8		
4	2	6		3				9
				9	8			4
			2					1

93 ✧✧✧

	4	5				8	3	
7		1				5		6
			6		7			
	8		9		2		6	
			7		1			
	9		5		3		4	
			8		4			
2		4				3		8
	6	8				2	1	

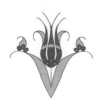

✧✧✧ 94

							6	8
				1			5	2
		4	3			1		
			4			9	2	
	5			2			1	
	9	8			7			
		5			8	7		
3	6			5				
8	2							

95 ✦✦✦

	3						2	
1	7						9	8
9			6		8			4
		4	1	3	6	8		
		3	5	7	2	9		
5			9		4			7
8	1						5	2
	4						8	

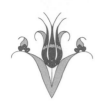

✧✧✧ 96

				1				
4				3	7	2	5	
	7	9				1	3	
					9		6	5
5								9
2	9		6					
	8	5				9	1	
	3	6	1	8				2
				9				

97 ✧✧✧

2	3			4				
	1			7	3			4
			9			7		
		5	6					
	4			1			3	
					7	8		
		6			8			
9			2	6			5	
				3			2	1

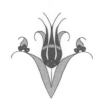

✧✧✧ 98

	5	2	8		3	9	7	
			5	2	9			
		1				2		
	9	5	7		8	4	6	
	8						9	
	6	7	2		4	5	8	
		3				7		
			6	8	7			
	7	6	3		1	8	2	

99 ✧✧✧

7		1						
	8		2	3	9			
	9		7				4	
	7		6					
		9		8		5		
					4		1	
	6				3		5	
				5	8	9		2
						8		7

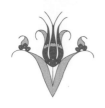

✧✧✧ 100

7		5	3		4	6		2
			2	7	5			
1								7
5		2	4		6	9		8
		4				2		
6		9	8		7	4		5
3								6
			6	4	9			
9		6	1		3	7		4

101 ✧✧✧

			7		4	3	6	
			5		9	8	7	
			3					2
		2	1		6	9	8	
9								6
	8	1	3		5	2		
3				7				
	1	4	9		2			
	9	7	8		3			

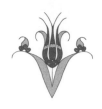

✧✧✧ 102

		1				8		5
		9			1	3		4
6				8	7			
9			1					
4	2						1	3
					5			2
			8	1				7
8		4	5			2		
7		2				1		

103 ✧✧✧

1	4		2		6		3	9
			9	1	4			
7								1
4	9		6		3		5	8
	6						9	
3	5		8		1		6	4
2								3
			3	6	5			
5	3		7		2		1	6

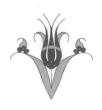

✧✧✧ 104

7	6	8		3		4		
				5	9	8		
			7			2		
	8							2
	3	1				7	5	
9							8	
		3			1			
		9	8	4				
		4		2		9	6	1

105 ✧✧✧

	3	8				6	5	
2			8		3			7
7								4
		7		6		5		
6			4		5			9
		4		9		1		
5								1
1			3		2			8
	4	9				2	3	

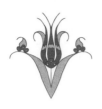

✧✧✧ 106

	3			7		6	9	4
	1				6			
	9		8	5				
		1						9
5	6						2	7
9						8		
				3	9		8	
			2				7	
4	8	2		1			3	

107 ✧✧✧

5			1		3			6
	8						5	
		7	9		5	4		
	4		8	5	1		2	
9								3
	1		2	3	9		4	
		3	4		7	2		
	7						6	
8			5		2			1

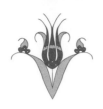

✧✧✧ 108

3		2						7
	6			1		4		
5					3	2	8	
9	2				1			
			9				5	6
	9	7	5					8
		4		8			9	
2						6		3

109 ✧✧✧

		4		6		3		
7			9		1			8
	1		4		8		5	
	5	8				6	3	
3								9
	6	9				2	1	
	2		7		6		4	
1			3		5			2
		3		4		1		

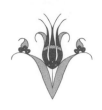

✧✧✧ 110

	3		7		4		9	
		1	9		5	7		
				3				
	4	7	2		9	6	8	
2				6				7
	8	3	1		7	9	2	
				2				
		8	5		1	4		
	5		4		8		6	

111 ✧✧✧

2			8					4
	1		3		2		5	
		7	5		1	9		
5		6				7		8
	7						3	
9		3				4		1
		2	9		3	1		
	5		4		8		7	
1				5				6

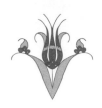

✧✧✧ 112

2			1		6			5
	1						9	
7	5			8			1	6
			5		9			
	6						3	
			6		8			
9	2			5			6	4
	3						7	
8			7		3			2

113 ✧✧✧

5		7	9		2			
2		1			6			
	3			1				
1		6	2		3	7		8
	7						3	
9		3	4		8	5		1
				4			9	
			6			4		7
			1		9	3		6

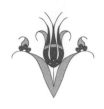

✧✧✧ 114

1				3				
	8	4	1		9			
	3	2			4			
	6	9	7		3	1	8	
8								2
	2	7	8		5	9	4	
			4			5	9	
			5		1	6	2	
				9				8

115 ✧✧✧

	9		2		6		5	
	3						6	
2		7		1		8		4
		9		6		3		
			1		5			
		3		4		7		
6		2		5		9		8
	4						3	
	1		4		8		7	

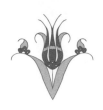

✧✧✧ 116

	3			5				1
		8				6	7	
9	7				6	2		
					5	4		7
2		1	4					
		9	2				8	4
	1	6				7		
4				9			3	

117 ✧✧✧

	4	8	7		9			
	7	2	5		1			
6				8				
		6	8		5	3	2	
4								1
	2	1	3		4	6		
				7				8
			1		6	9	3	
			2		8	7	1	

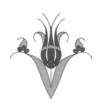

✧✧✧ 118

				9	2	4		
1		5			8			7
9		6						8
		3			6			
	8	1				5	3	
			8			7		
8						2		3
3			6			9		5
		2	9	8				

119 ✧✧✧

	1	3				2	8	
			1		9			
8	9						6	1
		1	4		8	3		
			5		2			
		4	7		6	9		
5	2						7	3
			3		5			
	7	9				6	1	

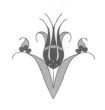

✧✧✧ 120

	2			9			5	
		1	4		2	6		
7			1		8			4
	8	9				1	3	
5								8
	4	6				5	9	
1			6		5			3
		3	9		7	2		
	5			2			1	

121 ✧✧✧

3	9			8			2	1
		1				5		
2			3		1			4
	7			5			1	
			6		9			
	1			7			8	
4			1		7			9
		9				6		
7	3			4			5	8

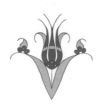

✧✧✧ 122

3	4	7		6		2		
			4			9		
				5	8	7		
7							9	
6		1				4		5
	8							7
		8	7	2				
		6			1			
		2		9		8	1	3

123 ✧✧✧

2		9				3		7
				2				
4		5		9	3		1	
	5	8			7			
	7						5	
			8			7	4	
	4		2	6		9		8
				7				
7		2				6		5

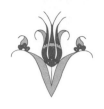

✧✧✧ 124

		4	5		2	6		
9		2				5		8
	6						7	
2				8				3
		5	3		6	9		
1				7				2
	2						8	
4		1				3		9
		8	2		3	1		

125 ✧✧✧

9					3				1
			8	4	5			
4	2		9		1		3	5
	3						2	
1								9
	7						6	
3	8		2		9		5	7
			6	7	3			
6				8				2

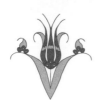

✧✧✧ 126

		7	9		2	5		
				5				
2			6		1			9
7		4	3		6	9		5
	6			2			8	
1		3	5		9	4		7
4			1		7			8
				6				
		1	8		5	3		

127 ✧✧✧

5								7
	7		9		4		2	
		2		6		1		
4		1	3		2	9		6
			5		1			
7		3	6		9	5		1
		9		5		8		
	8		4		3		1	
3								4

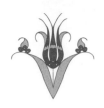

✧✧✧ 128

						1		
			1	7		3		2
	8		4					
	6				8		1	5
		3		1		7		
2	1		5				9	
					6		5	
1		2		3	4			
		9						

129 ✧✧✧

	9	8		1		5	3	
5		2				6		4
1			4		6			3
		4				8		
9			1		8			2
8		1				7		5
	6	9		3		1	2	

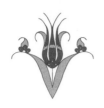

✧✧✧ 130

	5		2		6		9	
				3				
		8	9		5	6		
	8	9	1		3	5	7	
7				8				3
	1	3	7		2	9	4	
		1	5		7	4		
				4				
	7		6		1		2	

131 ✧✧✧

6		7		8		3		9
		9	6		7	1		
4								6
			9		4			
2								7
			7		8			
3								2
		1	3		2	8		
7		5		9		4		1

4		2	6		5	1		8
			9	8	4			
9				2				6
		8				9		
7								5
		4				6		
5				4				7
			2	3	1			
3		6	5		7	4		1

133 ✧✧✧

		2	5		8	3		
4				9				2
	3						7	
7	4		9		5		3	6
			7		4			
5	9		6		2		8	4
	8						6	
1				7				5
		4	8		6	1		

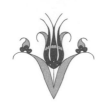

✧✧✧ 134

	2		4		9		3	
1			7		6			2
		5				1		
9		6	2		5	8		3
3		2	9		8	6		7
		8				4		
4			8		3			5
	7		1		4		6	

135 ✧✧✧

	9	4				3	6	
5		3				8		7
			6		9			
2			3		7			5
			9		4			
8			2		1			6
			8		5			
6		8				1		4
	1	5				7	8	

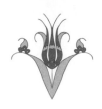

✧✧✧ 136

		7		6		8		
	9		2		1		4	
2			7		5			1
	5	4				2	8	
9								5
	3	1				6	9	
1			6		8			9
	7		5		4		2	
		2		1		3		

137 ✧✧✧

	3			2			7	
1			6		8			3
		4				1		
	5	1	8		2	7	4	
			7		4			
	7	6	3		5	2	8	
		5				6		
9			5		6			7
	8			4			9	

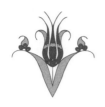

✧✧✧ 138

	1			8		6	2	7
	3		6					
	5			7	1			
3						1		
	7	9				2	4	
		6						8
			1	9			5	
					4		8	
4	2	1		3			6	

139 ✧✧✧

	7		9		2		4	
1	3			8			2	6
	8	5				2	1	
2		3				9		4
	1	4				6	7	
8	5			1			9	7
	2		6		7		5	

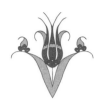

✧✧✧ 140

		6	2		9	8		
1								4
5		7				9		6
	1		3	5	4		6	
	8		7	1	2		9	
7		9				4		3
8								9
		3	6		8	5		

141 ✧✧✧

			5	6		2		7
	1		3					
								5
	9				1	4	5	
7				5				6
	5	2	4				8	
8								
					9		4	
2		5		7	3			

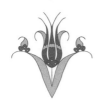

✧✧✧ 142

		6					4	8
1			5				2	
	2	7	6			3		
	5		1					
2								9
					9		7	
		4			1	7	5	
	1				4			6
8	3					4		

143 ✧✧✧

3	1						8	5
		7		8	1		9	2
				3				
	2	5	3					
		3				5		
					2	7	3	
				1				
7	5		6	9		4		
1	9						6	3

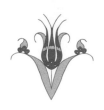

✧✧✧ 144

					3		8	
		2	5	7		3		
		6				7		
9		5		8				
6		4	7		1	8		9
				6		2		1
		9				1		
		7		3	5	4		
	5		6					

145 ✧✧✧

	8		7	9	4		2	
	9	2	5		6	8	4	
6	4		8		2		1	7
2								4
9	1		4		5		3	8
	2	3	6		8	1	7	
	6		9	4	7		8	

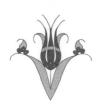

✧✧✧ 146

5				3		2		
	7						4	8
9		2			6		3	
	2	7	1					
					2	6	8	
	6		4			3		7
7	4						9	
		8		1				5

147 ✧✧✧

		5	6		8	2		
	9			3			5	
4			7		1			3
	5	1				6	8	
6								4
	7	4				9	3	
3			2		6			5
	1			7			2	
		8	5		3	4		

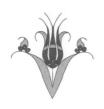

✧✧✧ 148

		9	7		3	8		
5			2		9			3
	7			4			6	
	2	4				9	1	
6								2
	3	8				6	4	
	6			7			9	
9			6		8			1
		1	5		4	7		

149 ✧✧✧

8	9			2	7		3	6
				9	3			
						7		
7				6		9		
6			9		5			4
		4		1				7
		5						
			1	3				
4	6		8	5			1	2

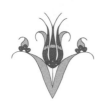

✧✧✧ 150

	8		4		3		7	
		7		1		2		
5								8
8		9	1		4	5		2
			5		2			
3		2	9		7	4		1
9								3
		4		5		6		
	6		3		9		2	

151 ✧✧✧

6				2	7			1
			1				4	
9								2
				9		8		6
5		9	8		2	3		4
7		3		4				
3								8
	7				9			
2			7	1				5

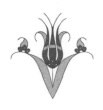

✧✧✧ 152

		5				8		
	2		5		1		7	
4			6		9			3
1		9	7		2	3		6
8		3	9		5	4		7
5			8		6			2
	4		1		7		3	
		6				1		

153 ✧✧✧

3		9						
1		5		7	8			
	7				3		6	
			6				9	
		7		1		4		
	3				2			
	2		8				4	
			1	4		7		5
						1		3

159

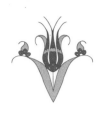

✧✧✧ 154

				2			7	5
		6	3		1			
			7				3	
					6	1	9	
	8			3			2	
	3	9	4					
	7				4			
			5		3	4		
3	2			8				

155 ✧✧✧

	3	4				8	7	
1		8		9		2		6
	9		6		5		8	
		7				5		
	1		7		8		2	
9		3		8		7		2
	5	6				1	3	

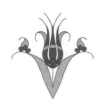

✧✧✧ 156

9				3				5
		4	2		9	7		
	1		7		4		6	
6	2						5	4
		1				2		
7	8						1	3
	9		6		2		4	
		7	5		3	1		
4				7				8

157 ✧✧✧

6								3
	4			9			7	
		8	3		6	4		
1	7		5		3		8	6
			8		9			
8	9		7		1		3	2
		5	6		7	2		
	8			1			5	
2								9

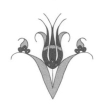

✧✧✧ 158

8			6			3		4
	1	5						8
		6	8				2	
			9			4		
	7						9	
		3			6			
	6				3	7		
2						8	1	
4		7			2			5

159 ✧✧✧

				9	4	3		7
								6
	8				5			
	3	8			2		5	
1				3				9
	6		8			7	3	
			4				2	
3								
9		7	3	1				

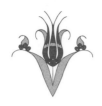

✧✧✧ 160

	2			6		1	8	7
	8			2	5			
	9		7					
		5						6
	7	9				3	4	
8						5		
					4		6	
			8	3			5	
4	5	1		9			2	

161 ✦✦✦

		3	7		5	2		
5								7
	9			8			3	
4	5		6		9		8	2
			8		2			
7	2		5		1		9	6
	1			6			2	
8								4
		4	9		7	1		

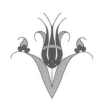

✧✧✧ 162

	7		9					
	2			5		8	3	9
	3			2	4			
		4						5
	9	7				6	1	
3						4		
			3	6			4	
1	4	8		7			2	
					1		5	

163 ✧✧✧

		7	8					
				6			1	4
9							3	
6			7			8		
7	9			3			6	2
		5			2			1
	1							5
3	6			9				
					4	2		

169

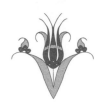

✧✧✧ 164

5	7						8	2
4			5		2			9
		9				3		
	6			3			5	
2			9		1			7
	5			8			1	
		5				8		
8			1		5			6
6	4						7	1

165 ✧✧✧

5		4	9		6			
2		9	3		1			
	7			5				
1		2	8		4			7
	4						1	
7			5		3	2		8
				9			5	
			1		7	8		6
			2		5	1		9

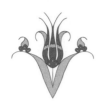

✧✧✧ 166

3			2					8
	6	2						
	7	1	4	3				
					8			6
	3			1			5	
2			9					
				5	1	7	3	
						2	1	
9					4			5

167 ✧✧✧

	2	8		9		1	5	
		1	4		2	3		
4		2				9		7
8	7						3	6
3		9				5		1
		7	8		3	2		
	4	3		5		6	9	

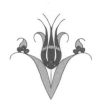

✧✧✧ 168

9		1	8		3	6		5
			5	9	2			
3				6				8
		4				7		
8								3
		6				1		
7				2				1
			6	4	7			
6		2	3		1	5		4

169 ✧✧✧

5			6		1			8
6								9
	2	7		4		3	1	
		9		6		8		
			5		4			
		3		2		9		
	7	8		5		1	6	
9								2
3			7		2			4

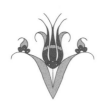

✧✧✧ 170

	9		8	2	6		5	
	2	5	7		1	9	8	
2	4		1		8		3	9
5								8
7	8		5		9		4	6
	5	3	9		7	4	6	
	7		6	8	2		9	

171 ✧✧✧

8		7	5	3		1		2
	3							
			2	6				
	7			2		4		
		8	9		3	7		
		4		8			9	
				9	6			
							4	
9		5		1	4	8		6

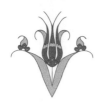

✧✧✧ 172

9				8		5		
	3						6	2
2		7			6		1	
	5	1	4					
					8	2	4	
	7		1			4		3
5	6						2	
		4		7				9

173 ✧✧✧

	8						3	
	3		6		4		1	
7		5				6		4
		2		9		8		
	9		8		7		5	
		7		5		3		
4		1				9		8
	6		4		1		2	
	2						7	

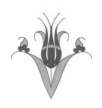

✧✧✧ 174

	5		7				2	9
	3						5	6
6			9	3				
5					7			
1		3				5		2
			3					4
				9	6			8
7	9						3	
2	1				3		4	

175 ✧✧✧

	6		3		5		4	
		9	6		7	3		
				1				
	7	2	9		1	4	5	
6				8				1
	5	4	7		2	9	3	
				7				
		7	2		8	5		
	2		1		3		8	

181

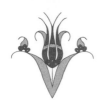

✧✧✧ 176

			2	5	3			
		3		7		6		
7		2	8		6	5		4
5								3
		1				8		
2								6
6		9	1		8	4		2
		8		2		1		
			4	9	7			

177 ✧✧✧

				1	3			
		6						
5	4			6	2		3	7
8				4		9		
4			6		9			5
		5		3				8
2	9		8	7			1	4
						8		
			1	9				

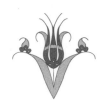

✧✧✧ 178

					1			7
		4	7	6		3		
		9				2		
				5		7	2	
	2	5	9		3	4	1	
	9	8		1				
		3				1		
		6		3	7	8		
5			6					

179 ✧✧✧

			8	5	2			
3				6				1
8		6	3		1	4		5
		4				6		
1								3
		7				9		
9		8	1		4	2		6
4				2				7
			6	9	7			

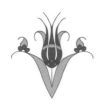

✧✧✧ 180

	1		8		2		6	
		2	7		9	8		
4				5				7
5	6						3	2
		9				6		
8	4						9	1
3				2				8
		6	5		4	2		
	8		9		1		7	

181 ✧✧✧

9	5	4		7		8		
					5	3		
			1	8		4		
1							4	
2		6				5		3
	7							1
		1		2	4			
		7	6					
		8		3		1	6	9

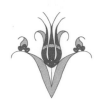

✧✧✧ 182

4		1				6		2
6			5		7			9
		7				4		
	8		6	9	2		5	
	7		1	8	3		4	
		8				2		
5			3		4			7
1		9				5		4

183 ✦✦✦

	6		7		8		9	
	4						6	
5		1				8		7
		3		2		4		
	2		5		4		1	
		5		1		6		
7		9				2		4
	3						5	
	8		9		7		3	

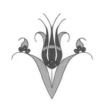

184

7	6		8		1		3	2
			6	3	7			
	8						7	
4	5		7		3		9	6
3								4
6	7		2		9		5	3
	1						2	
			5	2	4			
5	2		3		8		4	7

185 ✧✧✧

	8		7	6	2		1	
	7	5	8		1	3	9	
7	5		9		8		6	1
6								9
8	3		4		6		5	2
	6	8	1		4	9	2	
	9		6	2	7		8	

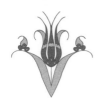

✧✧✧ 186

	3			9			6	
			4	8	2			
1	8		6		3		4	9
9								1
	6						3	
5								7
2	9		3		1		5	4
			9	5	7			
	7			2			1	

187 ✧✧✧

7		8			5	6		
		5					9	4
	2				3			7
3				2				
	7						1	
			1					8
2			4				5	
6	9					4		
		4	2			8		3

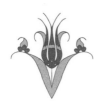

✧✧✧ 188

8	4			2				
	3							9
					5	6		
4			1			7		
1	2			8			4	6
		9			6			3
		1	7					
2							8	
				4			3	5

189 ✧✧✧

				4				
8		2		5	6		7	
5		1				4		6
			4				1	2
	1						4	
4	7				2			
3		4				6		8
	9		3	8		7		1
				6				

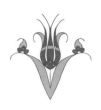

✧✧✧ 190

		3					2	
			9					8
	7	5		1				
	5				4			6
	4	1		3		2	8	
9			8				1	
				2		1	3	
4					7			
	6					5		

191 ✧✧✧

				5				
		2	8		7	6		
7			2		6			3
6		4	1		5	3		2
	5			3			4	
2		9	4		8	1		5
9			6		4			1
		8	7		1	4		
				9				

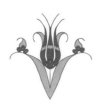

✧✧✧ 192

6			7		4			5
9								6
	2	1				4	7	
		8		3		9		
3			2		9			1
		2		1		6		
	7	5				3	9	
8								2
4			5		7			8

193 ✧✧✧

		4	9		7	3		
2		9		5		6		8
	9	8				5	1	
4	7						6	9
	2	3				8	4	
3		7		8		1		5
		1	3		2	9		

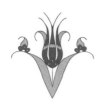

✧✧✧ 194

		8				2		
6	9			5			7	1
		3	9		2	4		
3				2				8
			5		4			
8				7				6
		5	7		1	6		
9	2			4			1	3
		7				8		

195 ✧✧✧

8	2			7			3	9
4		1				6		8
		2	6		8	9		
6								5
		7	3		5	8		
3		5				1		2
1	7			8			9	6

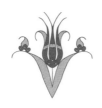

✧✧✧ 196

6	5							
		8			6	7		
9	4			8				
	1	6			7			
	8			5			2	
			3			1	5	
				2			8	5
		3	9			2		
							4	6

197 ✧✧✧

	2	9			5			8
3							7	4
	6			8		9		
9		3	1					
				9	5			7
		7		1			6	
4	3							2
5			4			8	3	

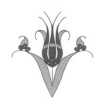

✧✧✧ 198

	6		9		1		5	
3	9			7			1	6
		1				2		
8				2				1
			4		3			
1				8				7
		3				4		
9	8			5			7	2
	5		1		8		3	

199 ✧✧✧

	7						5	1
1			9	7				
	5		6				8	9
			7					3
2		7				5		8
5					6			
8	2				7		3	
				9	1			4
6	9						7	

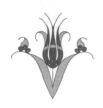

✧✧✧ 200

							6	
1			9					
			7	2		5	8	
5		1	3					9
	4			5			2	
6					1	8		5
	2	8		4	5			
					7			3
	5							

201 ✧✧✧

						7		
		8	2	5				
			6					
3	9						8	
	7			4			1	
	5						6	2
					3			
				1	7	9		
		2						

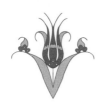

✧✧✧✧ 202

	1	6		5		3		
			3				8	9
	9		6					
	4		8				7	6
2								3
6	3				5		9	
					7		6	
5	2				4			
		4		8		1	5	

203 ✧✧✧

		3		8	7			
			3					
	9	2						8
	4			5		8		
	6		8		4		5	
		9		2			1	
6						9	2	
					1			
			7	6		5		

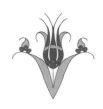

✧✧✧✧ 204

	8					3		5
			9	8		1		
					1			
7				3		5		
6			4		8			2
		8		6				4
			7					
		6		2	9			
3		5					2	

205 ✧✧✧✧

4		3			8			
					9			5
	8			2			7	3
1		5			3			6
		4				1		
8			2			5		9
7	5			3			1	
6			5					
			1			6		2

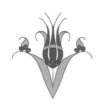

✧✧✧✧ 206

		2		9		6		
6					7			
	7	3			1			8
	8	4			6			
2								5
			3			4	1	
9			5			1	6	
			9					3
		5		2		9		

207 ✧✧✧✧

9						7		
		1		9		6		3
	4				8			
	1		4		6			
		6		7		9		
			9		5		2	
			1				5	
7		3		6		2		
		2						8

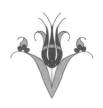

✧✧✧✧ 208

5	2						3	
	8	6						
			8		9			4
				9		6		
3			4		2			7
		9		6				
4			3		1			
						4	2	
	7						8	5

209 ✦✦✦

			1	7		3		
						8	1	4
			3		2			9
			9	6		2		
	5						3	
		6		8	4			
7			8		5			
9	4	5						
		8		9	1			

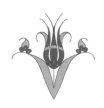

✧✧✧✧ 210

					6	3	2	
		6						
			5	2		4		
	7			8				5
	6		4		2		1	
9				6			7	
		3		1	8			
						1		
	9	4	3					

211 ✦✦✦

				2			5	
						3	8	
					6		7	2
		7			3	2		5
3			7		4			9
5		1	8			6		
7	1		4					
	3	9						
	8			1				

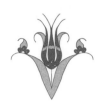

✧✧✧✧ 212

6	5		8					3
	9		2					
		4		6			1	
	7	9	4					
1								6
					5	1	3	
	2			3		5		
					7		4	
4					8		7	1

213 ✧✧✧✧

	1					8		
5					4			
		7		1		6	2	
			1		9			3
		6		8		1		
7			5		6			
	8	2		6		3		
			7					9
		3					4	

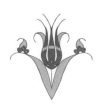

✧✧✧✧ 214

						9		4
	4		1		2			
		3				5	6	
				8				7
	2		9		4		3	
8				7				
	6	9				2		
			8		5		4	
7		5						

215 ✧✧✧✧

			2		1	3		
1	5							
4		9						6
	2			5				
		6	4		3	8		
				2			5	
8						9		1
							3	4
		3	7		6			

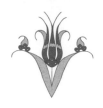

✧✧✧✧ 216

8				4		2		5
	6				8			
		9						7
			5		6		9	
5				2				4
	3		1		4			
2						4		
			3				1	
7		8		5				3

217 ✧✧✧✧

2			6	7				
								4
5		7			4			
		9		4			1	
		8	2		7	4		
	6			3		9		
			5			1		2
8								
				8	3			5

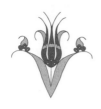

✧✧✧✧ 218

	6			3				
	3	8			5			
2	7							
3		4			6			1
		7	5		8	2		
8			7			4		9
							6	7
			1			9	8	
				9			4	

219 ✧✧✧✧

		7					4	3
			9	7				1
					5			
3				4			5	
	7		8		6		1	
	6			1				8
			2					
2				8	9			
4	3					8		

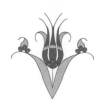

✧✧✧✧ 220

4		8			1		3	
2			3				5	
		1			7	4		
7		5						
	2						1	
						9		6
		3	7			8		
	4				2			5
	1		5			3		9

221 ✧✧✧✧

8			9			3		
	6	9						
5			6					9
	2	6	8					4
			5		2			
4					3	2	8	
2					6			1
						9	3	
		8			7			5

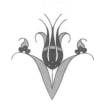

✧✧✧✧ 222

4			1					
	5			8		6	9	
		8					3	
5			9		4			
	9			3			8	
			2		8			7
	7					1		
	6	3		9			7	
					5			2

223 ✧✧✧

6		9	8					4
	4				2	5		
	5				7			
1		3		2	5			
			7	9		4		1
			2				1	
		7	1				4	
2					8	7		9

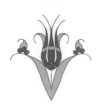

✧✧✧✧ 224

		5			1	9		
7			3				6	
4		9			7		8	
2		4						
	8						3	
						7		1
	9		8			5		6
	7				9			3
		6	1			8		

225 ✧✧✧

	3	4		1				
			8			9	3	
5			9			4		7
2		1					6	
	4					3		2
1		7			3			4
	6	5			2			
				6		1	5	

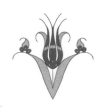

✧✧✧✧ 226

			4					6
9	8		1					
		1		5		3		8
1					5		6	4
	9						2	
2	6		8					7
3		6		8		2		
					2		7	5
7					6			

227 ✧✧✧✧

					6			
	3							8
			2	5	4			
6		4						
7				1				5
						9		3
		8	3	7				
2							6	
		9						

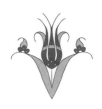

✧✧✧✧ 228

	6				9		7	3
					2	8		9
3		8		4				
		3					5	8
4	5					1		
				1		6		4
6		1	5					
7	4		8				3	

229 ✧✧✧

9	2							
5		7			4			
8				5				
	5	1			8		6	
		9	4		7	2		
	7		9			1	3	
				3				1
			6			3		7
							9	8

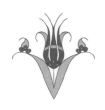

✧✧✧✧ 230

3				2				
5		6						
2	1				8			
	9	2			3	4		
	5		8		1		6	
		1	5			7	9	
			4				7	1
						5		3
				7				9

231 ✧✧✧

		1	2		9		4	6
		9	6	7				
	7						8	
6		7	1					
	4						1	
					4	5		2
	6						5	
				3	6	4		
9	8		5		7	3		

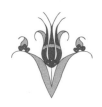

✧✧✧✧ 232

8		2		3				1
4						7		
			1				5	
	1		5		7			
3				4				7
			3		9		6	
	9				2			
		6						8
2				7		4		3

233 ✧✧✧

		3	5					7
7	2				9		1	
		5	1					
3	5		7	2				
				1	8		5	6
					7	8		
	3		9				4	2
8					1	3		

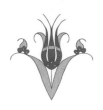

✧✧✧✧ 234

	3							
					7	2	8	
			5	3			7	
		6		4				2
		3	9		8	4		
1				5		6		
	8			9	1			
	7	9	4					
							4	

235 ✧✧✧✧

		6	4				8	2
			8				7		
7				1				9
			7				6	5
		3				9		
5	4				2			
1				9				3
		2			1			
4	7				3	1		

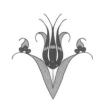

✧✧✧✧ 236

2					4			9
	6	7						
8					1	3		
	3	9			6			5
			8		9			
5			3			4	9	
		6	7					3
						7	4	
7			4					8

237 ✧✧✧✧

					9	8	5	
	5	7		6				
1					8	7		4
3		6					2	
	7					5		3
6		4	5					7
				2		6	1	
	2	1	3					

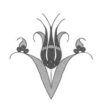

✧✧✧✧ 238

	8					5		
			9	3	7			
			2					
9		2						
		4		1		3		
						8		6
					6			
			4	8	5			
		7					2	

239 ✧✧✧✧

	9					3		
			7					5
	4	1		3			6	
2			8		3			
	3			9			4	
			4		5			6
	2			4		9	1	
8					6			
		7					2	

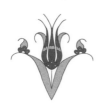

✧✧✧✧ 240

	4				2			
		2		1		8		3
9						5		
	6		7		1			
		9		5		1		
			9		4		2	
		8						6
5		1		9		3		
			3				7	

241 ✧✧✧✧

			2					
4		8					7	
9				7	1			
		2		8				4
		9	6		3	7		
3				9		6		
			1	3				5
	3					4		8
					5			

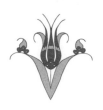

✧✧✧✧ 242

	3				5			
6		7	9			1		
	1				8			3
4		2		8	3			
			5	6		2		1
5			2				1	
		8			9	6		5
			8				2	

243 ✧✧✧

					2	8	4	
				8			9	
							6	7
3		9	6					2
		7	4		5	1		
4					7	9		8
1	7							
	6			3				
	3	4	5					

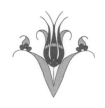

✧✧✧✧ 244

5							3	2
					9		8	
		4		6				7
		1		2		9		
			9		8			
		6		4		3		
7				5		4		
	4		8					
3	2							6

245 ✧✧✧✧

		8			4		2	7
					8	1		
	4			5			8	
3	6		7					
		5				4		
					1		6	2
	5			8			7	
		7	9					
9	1		2			3		

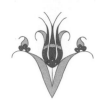

✧✧✧✧ 246

5	2				9			7
		7	8				4	
		4	1					
				2	1		7	6
6	3		4	8				
					8	6		
	1				6	7		
8			9				1	2

247 ✧✧✧✧

2							9	1
	5		3		8			
						6		3
				6		8		
	4		5		1		2	
		6		8				
1		5						
			2		7		5	
3	9							4

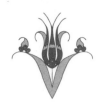

✧✧✧✧ 248

					9	3		8
6								
			7	6				9
	5			7		4		
		6	1		8	2		
		4		2			3	
8				1	5			
								2
9		1	2					

249 ✧✧✧

1				8			5	9
	4							1
		3			6			
			8		7	6		
2				5				8
		1	3		2			
			4			7		
5							2	
8	9			2				6

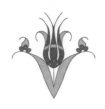

✧✧✧✧ 250

					9		3	4
			5	6				9
6								
	1			2		3		
	6		8		4		2	
		7		5			1	
								2
4				8	7			
9	8		2					

251 ✧✧✧✧✧

4			2			1		7
	6				3	9		
7								4
		2		9	4			
9								3
			1	6		8		
1								5
		4	7				8	
8		3			5			2

257

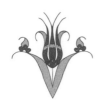

✧✧✧✧✧ 252

						6	9	4
				8	2	5		
					1		3	
	1				7	8		
6			4		9			2
		5	3				6	
	7		5					
		9	1	7				
4	6	1						

253 ✧✧✧✧✧

				7		1	6	
6						3		
4	1				5			
8			4					
	2	1		3		7	4	
					2			9
			8				3	2
		9						1
	3	6		1				

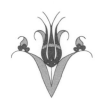

✧✧✧✧✧ 254

				7		6		
1							4	
2					9			
9								2
	7			6			3	
5								1
			5					9
	3							4
		8		4				

255 ✧✧✧✧

		3	9					
	1					7		
				2		8		
	6						3	
9				5				2
	7						4	
		8		4				
		5					9	
					7	6		

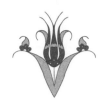

✧✧✧✧✧ 256

	1		9	7				
				6		2		4
						5		
			1				9	
	9	3		5		6	4	
	7				8			
		2						
5		6		3				
				2	4		8	

257 ✧✧✧✧

				6		4		
							5	
1		9	2		3			
3								
	6			7			8	
								2
			9		1	8		3
	7							
		8		4				

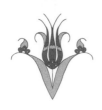

✧✧✧✧✧ 258

				2		7		1
	7			4				9
	8	1			6			
	3		4					
1				7				2
					8		5	
			3			9	4	
7				8			1	
9		6		1				

259 ✧✧✧✧✧

				9		8	5	6
						2		
	5		7					
			4				7	
		3		6		9		
	2				5			
					1		4	
		6						
8	4	9		3				

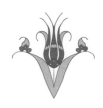

✧✧✧✧✧ 260

				7				8
6					4			
		3						2
		5				6		
	4			9			7	
		2				1		
9						4		
			2					5
8				1				

261 ✧✧✧✧

				7		3		4
								9
	8		1	9				
			8				5	
4	1			3			6	7
	6				2			
				5	6		2	
3								
9		1		4				

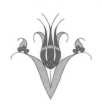

✧✧✧✧✧ 262

	8	2		7				
	4							
7			1	5				9
1			9					
	7			4			6	
					3			5
3				8	2			6
							8	
				6		4	7	

263 ✧✧✧✧✧

						8		
9	2			7			3	4
5		4			1			
6					4	5		
			8		7			
		3	2					1
			9			7		2
1	6			5			4	3
		9						

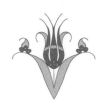

✧✧✧✧✧ 264

3		7	2					
		4					1	
				4			8	3
		1			7			
6	5			3			4	7
			6			2		
8	4			5				
	3					8		
					9	6		4

265 ✧✧✧✧

		9						
					4		5	
2		3		7		1	8	
	8				6			
		7		9		3		
			5				1	
	1	8		3		2		9
	6		1					
						8		

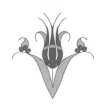

✧✧✧✧✧ 266

					6		5	
		2	1					9
4			3			6		
		8			4	7		
2			9		7			6
		3	6			1		
		6			1			3
1					3	8		
	5		4					

267 ✧✧✧✧

	7		6	5				9
			4			8		
1						4		
					3			
6								7
			8					
		4						5
		3			2			
2				1	7		9	

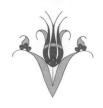

✧✧✧✧✧ 268

				4				3
3	8		9		1			
						2		
							8	
		3		2		5		
	7							
		6						
			8		7		9	1
4				5				

269 ✧✧✧✧

5	4	2		6				
					8		4	
		7						
	8				9			
		6		5		3		
			4				7	
						5		
	9		1					
				3		6	9	2

1

3	4	5	2	7	8	1	6	9
6	8	1	5	4	9	2	7	3
2	9	7	3	1	6	8	4	5
7	5	3	1	6	2	4	9	8
4	2	9	8	3	5	7	1	6
1	6	8	4	9	7	5	3	2
8	7	4	6	2	3	9	5	1
9	3	2	7	5	1	6	8	4
5	1	6	9	8	4	3	2	7

2

1	3	2	4	9	6	8	5	7
9	5	8	1	3	7	4	2	6
7	4	6	8	2	5	1	9	3
8	2	4	6	1	9	3	7	5
3	1	7	2	5	8	9	6	4
6	9	5	7	4	3	2	8	1
4	8	1	5	6	2	7	3	9
2	6	3	9	7	1	5	4	8
5	7	9	3	8	4	6	1	2

3

7	1	5	2	4	6	9	3	8
9	2	8	3	5	1	7	6	4
6	4	3	7	8	9	1	2	5
8	6	7	9	2	4	5	1	3
4	3	1	5	6	8	2	7	9
2	5	9	1	3	7	4	8	6
5	9	2	8	1	3	6	4	7
1	8	6	4	7	5	3	9	2
3	7	4	6	9	2	8	5	1

4

2	6	1	7	3	9	8	4	5
5	3	4	2	1	8	6	9	7
9	7	8	6	4	5	3	1	2
7	9	2	1	6	3	5	8	4
1	5	3	8	7	4	9	2	6
4	8	6	9	5	2	7	3	1
3	1	9	5	2	7	4	6	8
8	2	7	4	9	6	1	5	3
6	4	5	3	8	1	2	7	9

5

6	4	1	5	2	7	3	8	9
8	3	5	9	1	6	4	7	2
7	2	9	8	4	3	6	1	5
2	1	3	7	5	8	9	6	4
4	8	7	2	6	9	1	5	3
5	9	6	1	3	4	7	2	8
3	7	4	6	8	5	2	9	1
9	5	2	3	7	1	8	4	6
1	6	8	4	9	2	5	3	7

6

8	6	4	9	3	7	2	5	1
9	3	5	1	4	2	6	8	7
7	2	1	8	5	6	4	3	9
1	4	8	5	6	9	3	7	2
6	7	2	3	1	4	5	9	8
5	9	3	2	7	8	1	4	6
4	8	9	6	2	3	7	1	5
3	5	6	7	9	1	8	2	4
2	1	7	4	8	5	9	6	3

7

5	3	1	2	6	7	8	9	4
4	2	9	5	3	8	7	6	1
6	7	8	1	4	9	5	3	2
8	9	7	6	1	4	3	2	5
3	6	5	9	8	2	4	1	7
1	4	2	7	5	3	6	8	9
2	5	4	3	9	6	1	7	8
9	1	3	8	7	5	2	4	6
7	8	6	4	2	1	9	5	3

8

1	5	6	2	7	9	8	4	3
8	7	9	3	4	1	2	5	6
3	4	2	8	5	6	1	7	9
6	1	8	5	3	4	7	9	2
5	9	4	7	1	2	6	3	8
7	2	3	9	6	8	5	1	4
2	3	7	4	8	5	9	6	1
9	6	5	1	2	3	4	8	7
4	8	1	6	9	7	3	2	5

9

2	8	7	3	6	5	1	9	4
3	9	4	1	2	7	8	6	5
5	1	6	9	4	8	3	2	7
9	4	8	6	7	3	5	1	2
6	7	2	5	1	4	9	3	8
1	5	3	2	8	9	7	4	6
7	2	9	8	3	6	4	5	1
4	3	1	7	5	2	6	8	9
8	6	5	4	9	1	2	7	3

10

6	7	4	8	2	9	5	1	3
1	5	2	7	6	3	9	8	4
8	3	9	5	4	1	2	6	7
3	2	1	9	5	8	7	4	6
4	6	5	1	7	2	8	3	9
7	9	8	6	3	4	1	2	5
5	4	7	2	8	6	3	9	1
9	8	6	3	1	5	4	7	2
2	1	3	4	9	7	6	5	8

11

3	1	5	6	8	9	4	7	2
9	4	2	5	7	1	8	3	6
6	7	8	3	2	4	9	5	1
7	8	9	1	6	3	5	2	4
4	6	3	7	5	2	1	9	8
5	2	1	9	4	8	7	6	3
1	3	4	2	9	7	6	8	5
8	9	6	4	3	5	2	1	7
2	5	7	8	1	6	3	4	9

12

1	9	8	6	5	4	3	7	2
4	5	7	1	3	2	6	9	8
3	6	2	9	8	7	4	5	1
5	3	9	7	2	1	8	4	6
2	1	6	8	4	9	5	3	7
7	8	4	5	6	3	1	2	9
8	2	5	3	9	6	7	1	4
9	7	3	4	1	8	2	6	5
6	4	1	2	7	5	9	8	3

13

7	3	2	5	4	9	1	8	6
1	6	4	8	7	2	5	3	9
8	5	9	3	1	6	2	7	4
6	4	3	9	5	7	8	2	1
2	8	7	1	3	4	6	9	5
5	9	1	2	6	8	3	4	7
3	2	6	7	9	1	4	5	8
4	7	5	6	8	3	9	1	2
9	1	8	4	2	5	7	6	3

14

4	6	9	8	3	5	2	7	1
7	2	5	9	1	4	8	3	6
1	8	3	7	2	6	4	5	9
9	4	7	2	6	1	3	8	5
6	3	8	4	5	7	1	9	2
5	1	2	3	8	9	6	4	7
8	9	4	6	7	2	5	1	3
2	7	1	5	4	3	9	6	8
3	5	6	1	9	8	7	2	4

15

4	6	5	7	3	9	8	1	2
8	3	9	2	1	4	7	6	5
7	1	2	5	6	8	9	3	4
6	7	3	8	5	2	1	4	9
5	9	8	4	7	1	6	2	3
1	2	4	3	9	6	5	7	8
2	5	7	6	8	3	4	9	1
9	4	6	1	2	5	3	8	7
3	8	1	9	4	7	2	5	6

16

1	2	8	7	6	3	5	4	9
7	5	9	2	4	8	6	3	1
6	3	4	1	5	9	7	8	2
4	1	6	3	9	7	2	5	8
8	9	2	5	1	4	3	6	7
3	7	5	8	2	6	9	1	4
2	4	7	6	8	5	1	9	3
9	6	1	4	3	2	8	7	5
5	8	3	9	7	1	4	2	6

17

6	2	8	4	7	5	1	3	9
3	1	4	6	9	8	5	2	7
7	9	5	3	2	1	4	6	8
5	7	9	8	4	3	6	1	2
4	3	6	2	1	7	8	9	5
2	8	1	5	6	9	3	7	4
9	6	7	1	5	4	2	8	3
8	5	2	7	3	6	9	4	1
1	4	3	9	8	2	7	5	6

18

9	6	8	1	4	7	2	5	3
1	4	7	5	2	3	8	9	6
5	2	3	6	9	8	1	7	4
8	7	6	2	1	4	9	3	5
3	9	4	8	6	5	7	2	1
2	5	1	7	3	9	6	4	8
6	3	2	9	5	1	4	8	7
7	1	5	4	8	2	3	6	9
4	8	9	3	7	6	5	1	2

19

5	6	8	7	4	3	2	1	9
1	9	7	8	6	2	4	3	5
3	2	4	5	1	9	8	7	6
4	8	1	2	9	5	3	6	7
9	7	5	6	3	8	1	4	2
2	3	6	4	7	1	9	5	8
8	1	2	3	5	6	7	9	4
6	4	9	1	8	7	5	2	3
7	5	3	9	2	4	6	8	1

20

1	3	5	8	4	7	2	6	9
9	4	2	3	6	1	5	7	8
6	8	7	5	9	2	1	4	3
5	9	8	2	3	6	7	1	4
2	6	1	4	7	9	3	8	5
4	7	3	1	5	8	6	9	2
3	2	9	6	1	4	8	5	7
7	5	6	9	8	3	4	2	1
8	1	4	7	2	5	9	3	6

21

8	7	1	5	6	9	3	4	2
9	4	2	3	8	7	5	1	6
5	6	3	2	4	1	7	9	8
2	3	5	4	1	6	8	7	9
6	8	7	9	3	2	4	5	1
4	1	9	8	7	5	6	2	3
7	9	4	6	2	8	1	3	5
1	2	8	7	5	3	9	6	4
3	5	6	1	9	4	2	8	7

22

2	7	1	4	5	6	8	9	3
6	4	3	9	8	1	7	2	5
5	8	9	2	3	7	4	1	6
7	5	2	8	1	3	9	6	4
4	1	6	7	9	5	3	8	2
9	3	8	6	2	4	1	5	7
1	6	7	5	4	8	2	3	9
3	9	5	1	7	2	6	4	8
8	2	4	3	6	9	5	7	1

23

7	5	1	3	9	2	4	6	8
6	3	2	5	8	4	1	7	9
4	9	8	1	6	7	3	2	5
2	4	5	8	1	6	9	3	7
9	7	6	2	5	3	8	4	1
1	8	3	7	4	9	6	5	2
3	2	4	9	7	1	5	8	6
8	1	7	6	3	5	2	9	4
5	6	9	4	2	8	7	1	3

24

9	2	8	7	1	5	6	4	3
4	3	1	8	6	2	5	9	7
5	7	6	9	3	4	8	1	2
8	4	2	1	9	3	7	5	6
3	1	5	6	4	7	2	8	9
6	9	7	2	5	8	4	3	1
2	8	3	5	7	9	1	6	4
7	6	9	4	8	1	3	2	5
1	5	4	3	2	6	9	7	8

25

1	7	9	6	4	5	3	8	2
2	4	8	9	3	7	5	1	6
3	6	5	1	8	2	4	9	7
8	2	7	3	6	4	1	5	9
4	1	3	2	5	9	7	6	8
9	5	6	8	7	1	2	4	3
7	8	4	5	2	6	9	3	1
5	3	1	7	9	8	6	2	4
6	9	2	4	1	3	8	7	5

26

6	1	7	2	9	3	4	5	8
4	3	9	5	8	6	1	7	2
5	2	8	4	7	1	6	3	9
1	7	3	9	6	5	8	2	4
8	4	6	3	2	7	9	1	5
2	9	5	8	1	4	7	6	3
3	6	4	1	5	9	2	8	7
7	5	2	6	4	8	3	9	1
9	8	1	7	3	2	5	4	6

27

4	7	3	5	8	1	9	6	2
5	8	6	9	2	3	4	7	1
9	2	1	6	4	7	8	3	5
2	3	5	1	9	8	6	4	7
6	1	7	4	3	5	2	9	8
8	4	9	7	6	2	1	5	3
3	5	4	8	1	6	7	2	9
7	6	8	2	5	9	3	1	4
1	9	2	3	7	4	5	8	6

28

7	6	3	5	4	2	8	9	1
5	9	1	7	8	3	2	4	6
4	8	2	1	6	9	5	7	3
9	5	7	8	1	6	4	3	2
1	3	4	2	9	7	6	8	5
6	2	8	4	3	5	7	1	9
3	4	9	6	5	8	1	2	7
2	1	6	3	7	4	9	5	8
8	7	5	9	2	1	3	6	4

29

5	3	1	4	7	2	9	8	6
7	6	2	1	8	9	3	5	4
8	4	9	3	5	6	7	1	2
9	2	7	8	6	3	1	4	5
6	5	4	9	1	7	2	3	8
3	1	8	5	2	4	6	9	7
1	7	3	6	4	5	8	2	9
2	8	5	7	9	1	4	6	3
4	9	6	2	3	8	5	7	1

30

2	1	6	4	3	5	9	7	8
9	4	8	2	7	6	3	5	1
5	3	7	1	8	9	2	6	4
8	6	3	9	1	2	5	4	7
7	9	2	8	5	4	1	3	6
1	5	4	3	6	7	8	9	2
3	2	5	7	4	8	6	1	9
6	7	9	5	2	1	4	8	3
4	8	1	6	9	3	7	2	5

31

9	8	4	7	2	5	3	1	6
1	3	2	4	6	8	5	7	9
7	5	6	1	3	9	8	2	4
8	9	5	6	7	1	4	3	2
6	1	3	2	8	4	7	9	5
2	4	7	5	9	3	1	6	8
3	6	9	8	4	7	2	5	1
4	7	1	9	5	2	6	8	3
5	2	8	3	1	6	9	4	7

32

5	2	4	6	3	8	7	9	1
3	8	1	7	2	9	6	4	5
7	6	9	4	1	5	3	8	2
4	7	5	3	9	6	1	2	8
2	1	6	8	5	7	4	3	9
9	3	8	2	4	1	5	7	6
8	4	7	1	6	2	9	5	3
6	5	2	9	7	3	8	1	4
1	9	3	5	8	4	2	6	7

33

6	9	4	3	1	7	8	2	5
3	5	2	4	8	6	7	1	9
7	8	1	2	9	5	6	4	3
2	4	3	7	6	9	1	5	8
9	1	7	5	2	8	3	6	4
8	6	5	1	3	4	9	7	2
5	7	6	8	4	3	2	9	1
4	2	8	9	7	1	5	3	6
1	3	9	6	5	2	4	8	7

34

2	3	4	1	5	6	8	9	7
8	5	6	9	2	7	3	4	1
1	9	7	8	3	4	5	2	6
4	6	3	5	1	9	7	8	2
9	7	2	6	8	3	1	5	4
5	8	1	7	4	2	9	6	3
7	4	5	2	9	1	6	3	8
3	1	8	4	6	5	2	7	9
6	2	9	3	7	8	4	1	5

35

4	9	2	3	6	8	5	1	7
5	6	8	7	1	2	9	3	4
3	1	7	5	4	9	2	8	6
9	2	6	8	7	1	3	4	5
8	5	4	9	2	3	7	6	1
7	3	1	6	5	4	8	9	2
2	8	5	1	9	6	4	7	3
6	4	3	2	8	7	1	5	9
1	7	9	4	3	5	6	2	8

36

3	5	6	9	1	8	2	4	7
4	9	8	6	7	2	1	3	5
2	7	1	4	3	5	9	8	6
5	3	4	1	6	7	8	2	9
8	1	7	2	4	9	6	5	3
9	6	2	8	5	3	4	7	1
7	2	9	5	8	1	3	6	4
1	4	3	7	2	6	5	9	8
6	8	5	3	9	4	7	1	2

37

3	6	4	2	9	5	7	1	8
5	7	1	3	4	8	6	9	2
9	2	8	7	1	6	3	4	5
4	5	7	6	8	3	9	2	1
8	9	3	1	2	4	5	7	6
2	1	6	9	5	7	4	8	3
7	4	5	8	3	1	2	6	9
1	3	2	4	6	9	8	5	7
6	8	9	5	7	2	1	3	4

38

1	2	8	6	5	4	3	9	7
3	4	7	2	8	9	5	6	1
9	5	6	3	1	7	4	8	2
2	7	9	5	6	3	8	1	4
8	3	1	7	4	2	6	5	9
4	6	5	8	9	1	2	7	3
6	9	3	4	7	5	1	2	8
5	1	4	9	2	8	7	3	6
7	8	2	1	3	6	9	4	5

39

8	4	9	6	5	1	2	7	3
6	7	3	9	4	2	1	5	8
5	1	2	3	8	7	9	4	6
3	9	7	8	1	4	6	2	5
4	6	1	5	2	3	8	9	7
2	5	8	7	6	9	3	1	4
1	3	5	4	9	6	7	8	2
9	8	6	2	7	5	4	3	1
7	2	4	1	3	8	5	6	9

40

2	1	9	6	4	5	8	7	3
7	6	8	3	2	9	4	1	5
3	4	5	7	8	1	9	6	2
5	7	6	1	9	3	2	4	8
8	3	4	2	5	6	1	9	7
9	2	1	8	7	4	5	3	6
1	8	7	4	3	2	6	5	9
4	5	2	9	6	7	3	8	1
6	9	3	5	1	8	7	2	4

41

4	3	5	6	9	8	7	1	2
8	7	6	1	5	2	4	9	3
2	9	1	4	7	3	8	6	5
1	5	2	8	6	4	3	7	9
6	4	9	2	3	7	5	8	1
3	8	7	9	1	5	6	2	4
5	6	3	7	2	9	1	4	8
9	1	4	3	8	6	2	5	7
7	2	8	5	4	1	9	3	6

42

8	3	2	1	6	5	7	4	9
1	7	4	8	2	9	5	3	6
6	5	9	3	7	4	1	2	8
2	9	5	6	1	7	3	8	4
3	4	1	2	5	8	6	9	7
7	6	8	9	4	3	2	1	5
9	8	7	5	3	2	4	6	1
4	2	6	7	8	1	9	5	3
5	1	3	4	9	6	8	7	2

43

2	4	7	8	1	3	9	5	6
9	1	8	5	6	4	7	2	3
3	6	5	7	9	2	8	1	4
4	3	9	1	5	6	2	7	8
1	8	2	4	3	7	6	9	5
5	7	6	2	8	9	4	3	1
7	9	1	6	4	5	3	8	2
6	5	3	9	2	8	1	4	7
8	2	4	3	7	1	5	6	9

44

3	2	4	1	5	8	6	7	9
6	9	1	7	2	4	5	3	8
5	7	8	3	6	9	2	4	1
1	4	5	8	7	2	3	9	6
9	3	2	6	4	5	8	1	7
8	6	7	9	3	1	4	5	2
4	5	9	2	1	6	7	8	3
2	1	3	4	8	7	9	6	5
7	8	6	5	9	3	1	2	4

45

2	4	6	5	8	1	9	3	7
1	9	7	6	4	3	8	2	5
3	5	8	2	7	9	6	1	4
7	3	4	1	9	5	2	8	6
8	6	9	3	2	7	4	5	1
5	1	2	4	6	8	7	9	3
6	7	1	9	5	2	3	4	8
9	8	5	7	3	4	1	6	2
4	2	3	8	1	6	5	7	9

46

2	8	6	4	5	3	1	7	9
4	5	1	2	9	7	6	8	3
3	9	7	1	6	8	4	5	2
9	6	5	3	8	1	7	2	4
8	3	4	6	7	2	5	9	1
1	7	2	5	4	9	8	3	6
5	1	3	8	2	4	9	6	7
6	4	9	7	3	5	2	1	8
7	2	8	9	1	6	3	4	5

47

3	4	7	1	2	6	8	5	9
5	9	2	7	8	4	6	3	1
8	1	6	5	9	3	2	7	4
7	2	4	9	3	8	1	6	5
6	3	1	4	5	2	7	9	8
9	8	5	6	7	1	4	2	3
2	5	8	3	4	7	9	1	6
4	6	3	2	1	9	5	8	7
1	7	9	8	6	5	3	4	2

48

2	1	5	9	3	4	6	7	8
3	8	7	6	1	5	4	2	9
4	9	6	8	2	7	5	1	3
7	3	4	5	8	2	9	6	1
9	6	8	3	4	1	7	5	2
1	5	2	7	6	9	8	3	4
5	7	3	1	9	8	2	4	6
6	4	9	2	7	3	1	8	5
8	2	1	4	5	6	3	9	7

49

1	8	5	7	4	6	2	3	9
2	9	7	3	1	8	5	4	6
3	4	6	2	5	9	1	8	7
5	3	8	9	2	1	6	7	4
4	2	9	6	7	5	8	1	3
6	7	1	8	3	4	9	5	2
7	1	3	5	9	2	4	6	8
9	6	4	1	8	3	7	2	5
8	5	2	4	6	7	3	9	1

50

8	5	7	4	6	2	9	3	1
2	6	3	1	5	9	7	8	4
9	1	4	7	8	3	5	2	6
5	7	1	3	2	4	6	9	8
6	3	9	8	1	7	2	4	5
4	8	2	5	9	6	3	1	7
3	2	8	6	7	1	4	5	9
7	9	5	2	4	8	1	6	3
1	4	6	9	3	5	8	7	2

51

4	5	7	3	9	2	6	8	1
9	1	6	7	5	8	2	4	3
8	2	3	4	6	1	7	5	9
6	3	1	8	2	9	5	7	4
7	9	4	5	3	6	8	1	2
5	8	2	1	7	4	9	3	6
3	6	8	2	4	5	1	9	7
1	7	9	6	8	3	4	2	5
2	4	5	9	1	7	3	6	8

52

1	6	8	3	7	5	9	2	4
3	9	7	4	6	2	5	1	8
5	2	4	1	9	8	3	6	7
6	8	5	2	1	4	7	3	9
7	1	9	8	3	6	2	4	5
2	4	3	7	5	9	1	8	6
9	3	1	6	4	7	8	5	2
8	5	6	9	2	3	4	7	1
4	7	2	5	8	1	6	9	3

53

4	3	6	2	1	5	9	8	7
2	9	5	8	6	7	4	3	1
1	7	8	4	9	3	2	5	6
6	1	7	5	2	8	3	4	9
5	4	9	3	7	6	1	2	8
3	8	2	1	4	9	6	7	5
9	6	3	7	5	2	8	1	4
8	5	4	6	3	1	7	9	2
7	2	1	9	8	4	5	6	3

54

5	1	7	4	9	2	3	8	6
2	6	4	7	3	8	1	9	5
8	9	3	5	1	6	4	2	7
9	4	2	8	5	1	6	7	3
1	5	8	3	6	7	2	4	9
3	7	6	9	2	4	8	5	1
4	8	9	6	7	3	5	1	2
7	3	1	2	8	5	9	6	4
6	2	5	1	4	9	7	3	8

55

7	3	9	5	4	8	2	6	1
2	5	4	7	6	1	8	3	9
8	1	6	9	3	2	7	5	4
3	7	5	2	1	9	6	4	8
9	4	2	8	7	6	3	1	5
1	6	8	4	5	3	9	7	2
6	9	1	3	2	5	4	8	7
4	8	3	1	9	7	5	2	6
5	2	7	6	8	4	1	9	3

56

2	5	8	7	9	3	6	4	1
4	1	7	5	6	2	3	8	9
6	9	3	1	4	8	5	2	7
9	8	1	4	5	6	7	3	2
7	4	5	3	2	9	1	6	8
3	6	2	8	1	7	4	9	5
8	2	4	6	7	5	9	1	3
5	3	6	9	8	1	2	7	4
1	7	9	2	3	4	8	5	6

57

6	3	2	5	4	7	1	9	8
1	4	7	6	8	9	3	5	2
8	5	9	3	2	1	6	4	7
4	6	5	2	7	3	8	1	9
3	2	1	9	6	8	4	7	5
9	7	8	4	1	5	2	6	3
2	1	3	7	9	4	5	8	6
7	8	6	1	5	2	9	3	4
5	9	4	8	3	6	7	2	1

58

5	1	9	6	2	8	4	7	3
4	3	6	9	1	7	2	8	5
8	2	7	3	5	4	9	1	6
1	7	5	4	9	6	8	3	2
9	6	8	5	3	2	1	4	7
2	4	3	7	8	1	6	5	9
7	9	1	8	6	3	5	2	4
3	5	2	1	4	9	7	6	8
6	8	4	2	7	5	3	9	1

59

6	9	5	2	7	4	8	1	3
2	3	1	5	9	8	4	6	7
7	4	8	6	3	1	2	9	5
4	8	3	1	5	9	6	7	2
1	2	7	4	8	6	5	3	9
5	6	9	3	2	7	1	4	8
9	5	4	7	6	2	3	8	1
3	7	6	8	1	5	9	2	4
8	1	2	9	4	3	7	5	6

60

2	5	6	7	9	4	8	3	1
1	9	3	2	6	8	5	4	7
4	7	8	5	3	1	9	6	2
3	8	5	4	1	2	7	9	6
6	1	9	8	7	3	4	2	5
7	4	2	6	5	9	1	8	3
9	6	4	1	2	7	3	5	8
8	2	7	3	4	5	6	1	9
5	3	1	9	8	6	2	7	4

61

8	4	7	2	5	9	3	1	6
6	3	2	1	4	8	5	9	7
9	5	1	3	7	6	4	2	8
4	7	5	9	2	1	6	8	3
2	6	8	7	3	5	1	4	9
3	1	9	6	8	4	2	7	5
5	9	3	4	1	7	8	6	2
7	2	4	8	6	3	9	5	1
1	8	6	5	9	2	7	3	4

62

6	2	4	1	3	9	8	5	7
8	9	7	6	5	4	2	1	3
5	1	3	2	8	7	6	4	9
1	6	5	9	7	2	3	8	4
9	4	8	3	6	1	5	7	2
3	7	2	5	4	8	1	9	6
2	8	6	4	9	5	7	3	1
4	5	1	7	2	3	9	6	8
7	3	9	8	1	6	4	2	5

63

2	6	9	7	3	1	5	8	4
8	7	5	6	4	9	1	3	2
3	4	1	5	8	2	6	9	7
7	2	3	9	1	5	8	4	6
4	1	8	2	6	3	7	5	9
5	9	6	8	7	4	3	2	1
6	5	2	3	9	7	4	1	8
1	3	7	4	2	8	9	6	5
9	8	4	1	5	6	2	7	3

64

4	2	5	1	9	7	8	3	6
1	6	9	8	4	3	5	7	2
8	7	3	5	2	6	4	1	9
9	5	6	2	3	8	7	4	1
3	8	1	4	7	9	2	6	5
2	4	7	6	1	5	9	8	3
5	9	8	7	6	1	3	2	4
7	1	2	3	5	4	6	9	8
6	3	4	9	8	2	1	5	7

65

3	5	2	4	8	7	6	9	1
8	4	1	9	5	6	7	2	3
6	7	9	3	1	2	8	4	5
2	6	3	7	9	8	1	5	4
5	1	7	6	3	4	2	8	9
9	8	4	1	2	5	3	6	7
4	2	6	5	7	1	9	3	8
7	3	5	8	6	9	4	1	2
1	9	8	2	4	3	5	7	6

66

9	8	3	1	6	2	7	4	5
2	7	6	5	4	8	9	3	1
1	4	5	9	3	7	6	2	8
6	2	7	4	8	3	5	1	9
4	9	8	7	1	5	3	6	2
3	5	1	6	2	9	4	8	7
5	6	2	8	7	4	1	9	3
8	1	9	3	5	6	2	7	4
7	3	4	2	9	1	8	5	6

67

7	3	4	8	5	9	1	6	2
5	9	1	6	3	2	8	7	4
8	6	2	4	7	1	3	9	5
1	4	6	3	2	7	9	5	8
3	2	5	1	9	8	6	4	7
9	7	8	5	4	6	2	1	3
6	5	9	7	8	3	4	2	1
2	8	7	9	1	4	5	3	6
4	1	3	2	6	5	7	8	9

68

6	4	2	8	1	7	9	5	3
9	3	1	5	6	4	8	2	7
5	8	7	9	3	2	1	4	6
7	9	3	2	4	8	6	1	5
8	6	5	3	7	1	4	9	2
1	2	4	6	9	5	3	7	8
4	7	6	1	5	3	2	8	9
2	5	9	4	8	6	7	3	1
3	1	8	7	2	9	5	6	4

69

8	7	1	3	9	5	2	6	4
6	2	3	8	7	4	1	5	9
9	5	4	6	1	2	8	7	3
2	8	7	1	6	3	4	9	5
1	4	5	7	2	9	6	3	8
3	6	9	4	5	8	7	1	2
4	9	6	5	8	1	3	2	7
7	3	2	9	4	6	5	8	1
5	1	8	2	3	7	9	4	6

70

2	1	6	3	4	7	8	9	5
4	5	8	9	2	6	3	1	7
3	7	9	8	1	5	6	4	2
7	3	4	6	8	1	5	2	9
5	8	1	7	9	2	4	6	3
9	6	2	5	3	4	1	7	8
6	2	7	1	5	8	9	3	4
8	4	3	2	6	9	7	5	1
1	9	5	4	7	3	2	8	6

71

5	9	2	6	7	3	4	1	8
1	3	8	2	4	9	6	5	7
7	4	6	8	1	5	2	3	9
3	5	4	7	8	1	9	6	2
6	7	9	5	3	2	1	8	4
2	8	1	9	6	4	5	7	3
8	1	3	4	9	6	7	2	5
4	2	7	1	5	8	3	9	6
9	6	5	3	2	7	8	4	1

72

8	4	7	3	9	6	1	5	2
5	6	1	2	8	4	9	3	7
9	2	3	5	1	7	6	4	8
4	8	6	1	3	5	2	7	9
7	5	2	8	6	9	4	1	3
3	1	9	4	7	2	8	6	5
2	3	4	6	5	8	7	9	1
1	7	8	9	4	3	5	2	6
6	9	5	7	2	1	3	8	4

73

7	4	5	3	2	8	9	1	6
6	2	8	5	1	9	3	7	4
9	3	1	7	6	4	2	8	5
3	1	6	4	8	2	7	5	9
5	8	2	9	3	7	4	6	1
4	9	7	6	5	1	8	2	3
1	6	9	2	7	3	5	4	8
8	7	4	1	9	5	6	3	2
2	5	3	8	4	6	1	9	7

74

9	4	8	3	2	1	7	6	5
1	2	7	9	6	5	4	8	3
6	5	3	4	7	8	1	9	2
4	3	1	8	5	6	9	2	7
8	7	2	1	9	4	3	5	6
5	6	9	7	3	2	8	1	4
3	8	5	6	4	9	2	7	1
2	1	4	5	8	7	6	3	9
7	9	6	2	1	3	5	4	8

75

4	2	8	7	6	1	9	3	5
3	7	9	4	8	5	6	1	2
5	1	6	3	9	2	8	4	7
1	8	5	2	3	4	7	6	9
6	9	4	5	7	8	1	2	3
2	3	7	6	1	9	4	5	8
8	5	1	9	2	6	3	7	4
7	6	2	8	4	3	5	9	1
9	4	3	1	5	7	2	8	6

76

9	3	1	5	6	8	7	4	2
6	5	2	7	3	4	8	1	9
7	8	4	9	1	2	5	3	6
8	1	5	6	2	9	4	7	3
4	7	6	3	8	5	2	9	1
2	9	3	1	4	7	6	5	8
5	6	7	2	9	1	3	8	4
1	2	8	4	7	3	9	6	5
3	4	9	8	5	6	1	2	7

77

2	5	7	3	6	1	4	8	9
6	8	4	9	5	7	1	3	2
3	9	1	2	8	4	6	7	5
9	2	6	5	7	8	3	1	4
8	4	3	1	2	9	5	6	7
7	1	5	6	4	3	9	2	8
4	3	9	8	1	2	7	5	6
5	7	2	4	3	6	8	9	1
1	6	8	7	9	5	2	4	3

78

8	3	7	5	9	2	6	4	1
6	5	4	3	7	1	9	8	2
9	1	2	6	8	4	5	3	7
7	2	5	8	4	9	3	1	6
1	4	9	7	6	3	8	2	5
3	6	8	1	2	5	7	9	4
4	8	3	2	5	7	1	6	9
2	7	1	9	3	6	4	5	8
5	9	6	4	1	8	2	7	3

79

8	2	6	4	5	1	7	9	3
3	5	7	2	8	9	4	6	1
4	1	9	6	7	3	2	5	8
7	9	3	5	4	6	1	8	2
6	4	2	8	1	7	5	3	9
5	8	1	9	3	2	6	7	4
9	7	4	1	6	8	3	2	5
2	3	5	7	9	4	8	1	6
1	6	8	3	2	5	9	4	7

80

6	3	9	1	4	2	8	5	7
4	5	1	8	7	6	9	2	3
2	8	7	5	9	3	6	1	4
1	7	5	9	3	8	4	6	2
8	4	2	6	5	1	7	3	9
3	9	6	4	2	7	1	8	5
7	6	4	3	8	5	2	9	1
9	1	3	2	6	4	5	7	8
5	2	8	7	1	9	3	4	6

81

1	4	7	5	8	9	6	3	2
3	5	8	7	2	6	4	9	1
9	2	6	3	1	4	7	8	5
8	3	2	4	9	1	5	6	7
5	6	4	8	7	3	2	1	9
7	9	1	6	5	2	8	4	3
2	8	3	9	6	7	1	5	4
6	7	9	1	4	5	3	2	8
4	1	5	2	3	8	9	7	6

82

6	4	3	5	7	9	8	2	1
5	9	8	2	6	1	7	4	3
2	7	1	4	8	3	6	5	9
8	6	5	7	3	4	9	1	2
9	3	2	8	1	5	4	6	7
7	1	4	6	9	2	5	3	8
4	8	6	1	2	7	3	9	5
1	5	9	3	4	8	2	7	6
3	2	7	9	5	6	1	8	4

83

9	1	5	2	8	7	6	4	3
3	6	4	9	5	1	8	2	7
8	2	7	6	3	4	9	1	5
1	5	9	7	2	8	4	3	6
2	7	8	4	6	3	1	5	9
6	4	3	1	9	5	2	7	8
7	8	2	3	4	6	5	9	1
5	9	1	8	7	2	3	6	4
4	3	6	5	1	9	7	8	2

84

3	7	4	2	8	9	6	5	1
1	5	2	6	7	3	9	4	8
6	8	9	4	5	1	7	3	2
5	6	3	1	9	2	4	8	7
2	9	7	8	4	6	5	1	3
4	1	8	7	3	5	2	6	9
7	3	1	9	6	4	8	2	5
9	4	5	3	2	8	1	7	6
8	2	6	5	1	7	3	9	4

85

9	8	1	7	3	2	5	4	6
4	7	2	1	5	6	3	9	8
6	5	3	9	8	4	2	7	1
7	3	5	8	2	9	1	6	4
8	1	6	4	7	5	9	2	3
2	9	4	6	1	3	7	8	5
3	6	9	5	4	7	8	1	2
1	2	7	3	6	8	4	5	9
5	4	8	2	9	1	6	3	7

86

6	8	4	7	2	3	9	1	5
3	2	7	5	1	9	6	8	4
9	1	5	4	8	6	3	2	7
5	6	8	2	3	4	7	9	1
4	3	2	1	9	7	5	6	8
7	9	1	8	6	5	4	3	2
1	5	6	3	4	8	2	7	9
8	4	3	9	7	2	1	5	6
2	7	9	6	5	1	8	4	3

87

7	6	5	3	1	2	4	8	9
3	2	8	9	4	6	5	7	1
9	1	4	5	7	8	2	3	6
5	8	7	6	2	1	9	4	3
2	9	1	4	5	3	7	6	8
4	3	6	7	8	9	1	2	5
6	7	3	1	9	4	8	5	2
1	5	2	8	3	7	6	9	4
8	4	9	2	6	5	3	1	7

88

7	1	9	4	2	3	6	8	5
2	6	3	7	8	5	9	4	1
5	8	4	1	9	6	3	2	7
8	2	5	3	6	4	1	7	9
9	4	1	2	5	7	8	3	6
3	7	6	9	1	8	4	5	2
1	9	8	5	4	2	7	6	3
4	5	7	6	3	1	2	9	8
6	3	2	8	7	9	5	1	4

89

6	7	3	2	4	8	9	1	5
1	2	8	6	5	9	4	3	7
5	4	9	7	1	3	2	8	6
3	1	7	9	8	6	5	4	2
8	5	4	1	7	2	6	9	3
9	6	2	4	3	5	8	7	1
4	3	5	8	2	7	1	6	9
2	8	6	3	9	1	7	5	4
7	9	1	5	6	4	3	2	8

90

3	8	1	4	7	9	5	6	2
2	9	6	8	5	1	3	7	4
5	7	4	6	2	3	8	1	9
4	2	8	3	9	6	1	5	7
6	1	7	5	8	4	9	2	3
9	5	3	7	1	2	6	4	8
8	6	9	1	4	7	2	3	5
1	4	5	2	3	8	7	9	6
7	3	2	9	6	5	4	8	1

91

7	2	1	8	3	4	5	9	6
9	6	3	2	5	1	4	7	8
8	5	4	6	9	7	2	3	1
3	1	6	4	8	9	7	2	5
4	9	8	7	2	5	1	6	3
2	7	5	1	6	3	8	4	9
6	4	2	9	1	8	3	5	7
5	8	9	3	7	2	6	1	4
1	3	7	5	4	6	9	8	2

92

3	6	2	9	8	7	4	1	5
8	1	7	4	5	6	9	2	3
9	5	4	3	1	2	6	7	8
6	9	8	1	2	3	5	4	7
7	4	5	8	6	9	1	3	2
2	3	1	7	4	5	8	9	6
4	2	6	5	3	1	7	8	9
1	7	3	6	9	8	2	5	4
5	8	9	2	7	4	3	6	1

93

6	4	5	2	1	9	8	3	7
7	2	1	4	3	8	5	9	6
8	3	9	6	5	7	4	2	1
3	8	7	9	4	2	1	6	5
4	5	2	7	6	1	9	8	3
1	9	6	5	8	3	7	4	2
5	1	3	8	2	4	6	7	9
2	7	4	1	9	6	3	5	8
9	6	8	3	7	5	2	1	4

94

9	1	2	5	7	4	3	6	8
7	3	6	8	1	9	4	5	2
5	8	4	3	6	2	1	7	9
6	7	1	4	8	5	9	2	3
4	5	3	9	2	6	8	1	7
2	9	8	1	3	7	6	4	5
1	4	5	2	9	8	7	3	6
3	6	9	7	5	1	2	8	4
8	2	7	6	4	3	5	9	1

95

4	3	8	7	9	5	1	2	6
1	7	6	4	2	3	5	9	8
9	2	5	6	1	8	7	3	4
2	9	4	1	3	6	8	7	5
7	5	1	8	4	9	2	6	3
6	8	3	5	7	2	9	4	1
5	6	2	9	8	4	3	1	7
8	1	9	3	6	7	4	5	2
3	4	7	2	5	1	6	8	9

96

3	5	2	8	1	6	4	9	7
4	1	8	9	3	7	2	5	6
6	7	9	5	4	2	1	3	8
8	4	1	3	2	9	7	6	5
5	6	3	4	7	1	8	2	9
2	9	7	6	5	8	3	4	1
7	8	5	2	6	3	9	1	4
9	3	6	1	8	4	5	7	2
1	2	4	7	9	5	6	8	3

97

2	3	7	1	4	6	5	8	9
8	1	9	5	7	3	2	6	4
5	6	4	9	8	2	7	1	3
3	8	5	6	9	4	1	7	2
7	4	2	8	1	5	9	3	6
6	9	1	3	2	7	8	4	5
1	2	6	4	5	8	3	9	7
9	7	3	2	6	1	4	5	8
4	5	8	7	3	9	6	2	1

98

6	5	2	8	1	3	9	7	4
7	4	8	5	2	9	6	1	3
9	3	1	4	7	6	2	5	8
1	9	5	7	3	8	4	6	2
2	8	4	1	6	5	3	9	7
3	6	7	2	9	4	5	8	1
8	1	3	9	5	2	7	4	6
4	2	9	6	8	7	1	3	5
5	7	6	3	4	1	8	2	9

99

7	5	1	8	4	2	6	9	3
8	4	2	3	9	6	1	7	5
6	9	3	7	1	5	2	4	8
1	7	5	6	2	9	3	8	4
4	3	9	1	8	7	5	2	6
2	8	6	5	3	4	7	1	9
9	6	8	2	7	3	4	5	1
3	1	7	4	5	8	9	6	2
5	2	4	9	6	1	8	3	7

100

7	9	5	3	1	4	6	8	2
4	6	8	2	7	5	1	3	9
1	2	3	9	6	8	5	4	7
5	1	2	4	3	6	9	7	8
8	7	4	5	9	1	2	6	3
6	3	9	8	2	7	4	1	5
3	4	1	7	5	2	8	9	6
2	8	7	6	4	9	3	5	1
9	5	6	1	8	3	7	2	4

101

8	2	9	7	1	4	3	6	5
4	3	6	5	2	9	8	7	1
1	7	5	6	3	8	4	9	2
7	5	2	1	4	6	9	8	3
9	4	3	2	8	7	1	5	6
6	8	1	3	9	5	2	4	7
3	6	8	4	7	1	5	2	9
5	1	4	9	6	2	7	3	8
2	9	7	8	5	3	6	1	4

102

3	7	1	2	4	9	8	6	5
2	8	9	6	5	1	3	7	4
6	4	5	3	8	7	9	2	1
9	5	7	1	2	3	4	8	6
4	2	6	7	9	8	5	1	3
1	3	8	4	6	5	7	9	2
5	9	3	8	1	2	6	4	7
8	1	4	5	7	6	2	3	9
7	6	2	9	3	4	1	5	8

103

1	4	5	2	7	6	8	3	9
6	8	3	9	1	4	2	7	5
7	2	9	5	3	8	6	4	1
4	9	7	6	2	3	1	5	8
8	6	1	4	5	7	3	9	2
3	5	2	8	9	1	7	6	4
2	7	6	1	4	9	5	8	3
9	1	8	3	6	5	4	2	7
5	3	4	7	8	2	9	1	6

104

7	6	8	1	3	2	4	9	5
1	4	2	6	5	9	8	7	3
3	9	5	7	8	4	2	1	6
4	8	6	5	9	7	1	3	2
2	3	1	4	6	8	7	5	9
9	5	7	2	1	3	6	8	4
6	2	3	9	7	1	5	4	8
5	1	9	8	4	6	3	2	7
8	7	4	3	2	5	9	6	1

105

4	3	8	1	7	9	6	5	2
2	6	5	8	4	3	9	1	7
7	9	1	5	2	6	3	8	4
9	8	7	2	6	1	5	4	3
6	1	2	4	3	5	8	7	9
3	5	4	7	9	8	1	2	6
5	2	3	9	8	4	7	6	1
1	7	6	3	5	2	4	9	8
8	4	9	6	1	7	2	3	5

106

8	3	5	1	7	2	6	9	4
2	1	4	3	9	6	7	5	8
6	9	7	8	5	4	2	1	3
7	2	1	6	8	5	3	4	9
5	6	8	9	4	3	1	2	7
9	4	3	7	2	1	8	6	5
1	7	6	4	3	9	5	8	2
3	5	9	2	6	8	4	7	1
4	8	2	5	1	7	9	3	6

107

5	9	2	1	4	3	8	7	6
4	8	1	7	2	6	3	5	9
6	3	7	9	8	5	4	1	2
3	4	6	8	5	1	9	2	7
9	2	5	6	7	4	1	8	3
7	1	8	2	3	9	6	4	5
1	5	3	4	6	7	2	9	8
2	7	9	3	1	8	5	6	4
8	6	4	5	9	2	7	3	1

108

3	1	2	8	4	9	5	6	7
7	6	8	2	1	5	4	3	9
5	4	9	7	6	3	2	8	1
9	2	6	3	5	1	8	7	4
8	5	3	4	7	6	9	1	2
4	7	1	9	2	8	3	5	6
6	9	7	5	3	4	1	2	8
1	3	4	6	8	2	7	9	5
2	8	5	1	9	7	6	4	3

109

5	8	4	2	6	7	3	9	1
7	3	6	9	5	1	4	2	8
9	1	2	4	3	8	7	5	6
2	5	8	1	7	9	6	3	4
3	7	1	6	2	4	5	8	9
4	6	9	5	8	3	2	1	7
8	2	5	7	1	6	9	4	3
1	4	7	3	9	5	8	6	2
6	9	3	8	4	2	1	7	5

110

5	3	6	7	1	4	2	9	8
4	2	1	9	8	5	7	3	6
8	7	9	6	3	2	5	1	4
1	4	7	2	5	9	6	8	3
2	9	5	8	6	3	1	4	7
6	8	3	1	4	7	9	2	5
7	1	4	3	2	6	8	5	9
3	6	8	5	9	1	4	7	2
9	5	2	4	7	8	3	6	1

111

2	9	5	7	8	6	3	1	4
4	1	8	3	9	2	6	5	7
3	6	7	5	4	1	9	8	2
5	4	6	1	3	9	7	2	8
8	7	1	6	2	4	5	3	9
9	2	3	8	7	5	4	6	1
7	8	2	9	6	3	1	4	5
6	5	9	4	1	8	2	7	3
1	3	4	2	5	7	8	9	6

112

2	8	3	1	9	6	7	4	5
6	1	4	2	7	5	8	9	3
7	5	9	3	8	4	2	1	6
4	7	2	5	3	9	6	8	1
1	6	8	4	2	7	5	3	9
3	9	5	6	1	8	4	2	7
9	2	7	8	5	1	3	6	4
5	3	6	9	4	2	1	7	8
8	4	1	7	6	3	9	5	2

113

5	6	7	9	3	2	1	8	4
2	4	1	8	5	6	9	7	3
8	3	9	7	1	4	6	2	5
1	5	6	2	9	3	7	4	8
4	7	8	5	6	1	2	3	9
9	2	3	4	7	8	5	6	1
6	1	5	3	4	7	8	9	2
3	9	2	6	8	5	4	1	7
7	8	4	1	2	9	3	5	6

114

1	7	5	2	3	8	4	6	9
6	8	4	1	5	9	2	3	7
9	3	2	6	7	4	8	5	1
4	6	9	7	2	3	1	8	5
8	5	1	9	4	6	3	7	2
3	2	7	8	1	5	9	4	6
2	1	8	4	6	7	5	9	3
7	9	3	5	8	1	6	2	4
5	4	6	3	9	2	7	1	8

115

8	9	4	2	7	6	1	5	3
5	3	1	9	8	4	2	6	7
2	6	7	5	1	3	8	9	4
4	8	9	7	6	2	3	1	5
7	2	6	1	3	5	4	8	9
1	5	3	8	4	9	7	2	6
6	7	2	3	5	1	9	4	8
9	4	8	6	2	7	5	3	1
3	1	5	4	9	8	6	7	2

116

6	3	4	7	5	2	8	9	1
1	2	8	9	3	4	6	7	5
9	7	5	8	1	6	2	4	3
8	9	3	6	2	5	4	1	7
5	4	7	3	8	1	9	6	2
2	6	1	4	7	9	3	5	8
7	5	9	2	6	3	1	8	4
3	1	6	5	4	8	7	2	9
4	8	2	1	9	7	5	3	6

117

5	4	8	7	3	9	1	6	2
3	7	2	5	6	1	4	8	9
6	1	9	4	8	2	5	7	3
7	9	6	8	1	5	3	2	4
4	5	3	6	2	7	8	9	1
8	2	1	3	9	4	6	5	7
1	6	5	9	7	3	2	4	8
2	8	7	1	4	6	9	3	5
9	3	4	2	5	8	7	1	6

118

7	3	8	1	9	2	4	5	6
1	2	5	4	6	8	3	9	7
9	4	6	3	5	7	1	2	8
2	7	3	5	4	6	8	1	9
6	8	1	2	7	9	5	3	4
5	9	4	8	3	1	7	6	2
8	6	9	7	1	5	2	4	3
3	1	7	6	2	4	9	8	5
4	5	2	9	8	3	6	7	1

119

4	1	3	6	5	7	2	8	9
7	6	2	1	8	9	5	3	4
8	9	5	2	4	3	7	6	1
6	5	1	4	9	8	3	2	7
9	8	7	5	3	2	1	4	6
2	3	4	7	1	6	9	5	8
5	2	8	9	6	1	4	7	3
1	4	6	3	7	5	8	9	2
3	7	9	8	2	4	6	1	5

120

6	2	4	7	9	3	8	5	1
8	3	1	4	5	2	6	7	9
7	9	5	1	6	8	3	2	4
2	8	9	5	4	6	1	3	7
5	1	7	2	3	9	4	6	8
3	4	6	8	7	1	5	9	2
1	7	2	6	8	5	9	4	3
4	6	3	9	1	7	2	8	5
9	5	8	3	2	4	7	1	6

121

3	9	4	5	8	6	7	2	1
8	6	1	7	2	4	5	9	3
2	5	7	3	9	1	8	6	4
9	7	3	2	5	8	4	1	6
5	4	8	6	1	9	3	7	2
6	1	2	4	7	3	9	8	5
4	8	5	1	6	7	2	3	9
1	2	9	8	3	5	6	4	7
7	3	6	9	4	2	1	5	8

122

3	4	7	1	6	9	2	5	8
8	6	5	4	7	2	9	3	1
2	1	9	3	5	8	7	6	4
7	2	3	5	8	4	1	9	6
6	9	1	2	3	7	4	8	5
5	8	4	9	1	6	3	2	7
1	5	8	7	2	3	6	4	9
9	3	6	8	4	1	5	7	2
4	7	2	6	9	5	8	1	3

123

2	6	9	5	1	4	3	8	7
1	3	7	6	2	8	5	9	4
4	8	5	7	9	3	2	1	6
3	5	8	9	4	7	1	6	2
6	7	4	1	3	2	8	5	9
9	2	1	8	5	6	7	4	3
5	4	3	2	6	1	9	7	8
8	9	6	3	7	5	4	2	1
7	1	2	4	8	9	6	3	5

124

7	8	4	5	3	2	6	9	1
9	1	2	6	4	7	5	3	8
5	6	3	8	1	9	2	7	4
2	9	7	1	8	5	4	6	3
8	4	5	3	2	6	9	1	7
1	3	6	9	7	4	8	5	2
3	2	9	4	5	1	7	8	6
4	5	1	7	6	8	3	2	9
6	7	8	2	9	3	1	4	5

125

9	6	5	7	3	2	4	8	1
7	1	3	8	4	5	2	9	6
4	2	8	9	6	1	7	3	5
8	3	6	1	9	7	5	2	4
1	4	2	3	5	6	8	7	9
5	7	9	4	2	8	1	6	3
3	8	4	2	1	9	6	5	7
2	5	1	6	7	3	9	4	8
6	9	7	5	8	4	3	1	2

126

8	1	7	9	3	2	5	4	6
3	9	6	4	5	8	2	7	1
2	4	5	6	7	1	8	3	9
7	8	4	3	1	6	9	2	5
5	6	9	7	2	4	1	8	3
1	2	3	5	8	9	4	6	7
4	3	2	1	9	7	6	5	8
9	5	8	2	6	3	7	1	4
6	7	1	8	4	5	3	9	2

127

5	6	4	2	1	8	3	9	7
1	7	8	9	3	4	6	2	5
9	3	2	7	6	5	1	4	8
4	5	1	3	8	2	9	7	6
8	9	6	5	7	1	4	3	2
7	2	3	6	4	9	5	8	1
2	4	9	1	5	7	8	6	3
6	8	5	4	2	3	7	1	9
3	1	7	8	9	6	2	5	4

128

7	2	5	9	8	3	1	4	6
4	9	6	1	7	5	3	8	2
3	8	1	4	6	2	5	7	9
9	6	7	3	2	8	4	1	5
5	4	3	6	1	9	7	2	8
2	1	8	5	4	7	6	9	3
8	3	4	7	9	6	2	5	1
1	5	2	8	3	4	9	6	7
6	7	9	2	5	1	8	3	4

129

4	9	8	6	1	2	5	3	7
5	1	2	3	9	7	6	8	4
3	7	6	8	4	5	2	1	9
1	8	7	4	2	6	9	5	3
6	2	4	9	5	3	8	7	1
9	5	3	1	7	8	4	6	2
2	4	5	7	8	1	3	9	6
8	3	1	2	6	9	7	4	5
7	6	9	5	3	4	1	2	8

130

3	5	7	2	1	6	8	9	4
1	9	6	8	3	4	2	5	7
2	4	8	9	7	5	6	3	1
4	8	9	1	6	3	5	7	2
7	2	5	4	8	9	1	6	3
6	1	3	7	5	2	9	4	8
9	3	1	5	2	7	4	8	6
5	6	2	3	4	8	7	1	9
8	7	4	6	9	1	3	2	5

131

6	1	7	2	8	5	3	4	9
5	3	9	6	4	7	1	2	8
4	8	2	1	3	9	7	5	6
8	7	6	9	2	4	5	1	3
2	9	4	5	1	3	6	8	7
1	5	3	7	6	8	2	9	4
3	6	8	4	5	1	9	7	2
9	4	1	3	7	2	8	6	5
7	2	5	8	9	6	4	3	1

132

4	3	2	6	7	5	1	9	8
6	7	1	9	8	4	3	5	2
9	8	5	1	2	3	7	4	6
1	5	8	3	6	2	9	7	4
7	6	3	4	1	9	8	2	5
2	9	4	7	5	8	6	1	3
5	1	9	8	4	6	2	3	7
8	4	7	2	3	1	5	6	9
3	2	6	5	9	7	4	8	1

133

9	7	2	5	6	8	3	4	1
4	1	8	3	9	7	6	5	2
6	3	5	2	4	1	9	7	8
7	4	1	9	8	5	2	3	6
8	2	6	7	3	4	5	1	9
5	9	3	6	1	2	7	8	4
2	8	7	1	5	9	4	6	3
1	6	9	4	7	3	8	2	5
3	5	4	8	2	6	1	9	7

134

8	2	7	4	1	9	5	3	6
1	4	3	7	5	6	9	8	2
6	9	5	3	8	2	1	7	4
9	1	6	2	7	5	8	4	3
7	8	4	6	3	1	2	5	9
3	5	2	9	4	8	6	1	7
2	3	8	5	6	7	4	9	1
4	6	1	8	9	3	7	2	5
5	7	9	1	2	4	3	6	8

135

1	9	4	5	7	8	3	6	2
5	6	3	1	4	2	8	9	7
7	8	2	6	3	9	5	4	1
2	4	6	3	8	7	9	1	5
3	5	1	9	6	4	2	7	8
8	7	9	2	5	1	4	3	6
4	3	7	8	1	5	6	2	9
6	2	8	7	9	3	1	5	4
9	1	5	4	2	6	7	8	3

136

4	1	7	3	6	9	8	5	2
3	9	5	2	8	1	7	4	6
2	6	8	7	4	5	9	3	1
7	5	4	1	9	6	2	8	3
9	2	6	8	7	3	4	1	5
8	3	1	4	5	2	6	9	7
1	4	3	6	2	8	5	7	9
6	7	9	5	3	4	1	2	8
5	8	2	9	1	7	3	6	4

137

5	3	8	4	2	1	9	7	6
1	9	7	6	5	8	4	2	3
2	6	4	9	7	3	1	5	8
3	5	1	8	6	2	7	4	9
8	2	9	7	1	4	3	6	5
4	7	6	3	9	5	2	8	1
7	1	5	2	8	9	6	3	4
9	4	2	5	3	6	8	1	7
6	8	3	1	4	7	5	9	2

138

9	1	4	3	8	5	6	2	7
7	3	8	6	4	2	9	1	5
6	5	2	9	7	1	8	3	4
3	8	5	4	2	9	1	7	6
1	7	9	8	5	6	2	4	3
2	4	6	7	1	3	5	9	8
8	6	3	1	9	7	4	5	2
5	9	7	2	6	4	3	8	1
4	2	1	5	3	8	7	6	9

139

6	7	8	9	3	2	5	4	1
5	4	2	1	7	6	8	3	9
1	3	9	5	8	4	7	2	6
7	8	5	4	6	9	2	1	3
2	6	3	7	5	1	9	8	4
9	1	4	3	2	8	6	7	5
8	5	6	2	1	3	4	9	7
3	9	7	8	4	5	1	6	2
4	2	1	6	9	7	3	5	8

140

4	3	6	2	7	9	8	5	1
1	9	8	5	6	3	2	7	4
5	2	7	8	4	1	9	3	6
9	1	2	3	5	4	7	6	8
3	7	5	9	8	6	1	4	2
6	8	4	7	1	2	3	9	5
7	6	9	1	2	5	4	8	3
8	5	1	4	3	7	6	2	9
2	4	3	6	9	8	5	1	7

141

9	8	3	5	6	4	2	1	7
5	1	7	3	9	2	8	6	4
4	2	6	8	1	7	9	3	5
6	9	8	7	2	1	4	5	3
7	3	4	9	5	8	1	2	6
1	5	2	4	3	6	7	8	9
8	6	9	2	4	5	3	7	1
3	7	1	6	8	9	5	4	2
2	4	5	1	7	3	6	9	8

142

3	9	6	7	1	2	5	4	8
1	4	8	5	9	3	6	2	7
5	2	7	6	4	8	3	9	1
6	5	9	1	8	7	2	3	4
2	7	1	4	3	5	8	6	9
4	8	3	2	6	9	1	7	5
9	6	4	8	2	1	7	5	3
7	1	2	3	5	4	9	8	6
8	3	5	9	7	6	4	1	2

143

3	1	4	9	2	7	6	8	5
5	6	7	4	8	1	3	9	2
2	8	9	5	3	6	1	7	4
6	2	5	3	7	9	8	4	1
8	7	3	1	6	4	5	2	9
9	4	1	8	5	2	7	3	6
4	3	6	2	1	8	9	5	7
7	5	2	6	9	3	4	1	8
1	9	8	7	4	5	2	6	3

144

4	7	1	2	9	3	5	8	6
8	9	2	5	7	6	3	1	4
5	3	6	1	4	8	7	9	2
9	1	5	3	8	2	6	4	7
6	2	4	7	5	1	8	3	9
7	8	3	4	6	9	2	5	1
3	4	9	8	2	7	1	6	5
1	6	7	9	3	5	4	2	8
2	5	8	6	1	4	9	7	3

145

3	8	6	7	9	4	5	2	1
7	9	2	5	1	6	8	4	3
1	5	4	2	8	3	7	9	6
6	4	5	8	3	2	9	1	7
2	3	8	1	7	9	6	5	4
9	1	7	4	6	5	2	3	8
8	7	9	3	2	1	4	6	5
4	2	3	6	5	8	1	7	9
5	6	1	9	4	7	3	8	2

146

5	1	4	7	3	8	2	6	9
6	7	3	9	2	1	5	4	8
9	8	2	5	4	6	7	3	1
8	2	7	1	6	4	9	5	3
4	3	6	8	9	5	1	7	2
1	5	9	3	7	2	6	8	4
2	6	5	4	8	9	3	1	7
7	4	1	2	5	3	8	9	6
3	9	8	6	1	7	4	2	5

147

1	3	5	6	9	8	2	4	7
8	9	7	4	3	2	1	5	6
4	6	2	7	5	1	8	9	3
9	5	1	3	4	7	6	8	2
6	8	3	1	2	9	5	7	4
2	7	4	8	6	5	9	3	1
3	4	9	2	8	6	7	1	5
5	1	6	9	7	4	3	2	8
7	2	8	5	1	3	4	6	9

148

2	1	9	7	6	3	8	5	4
5	4	6	2	8	9	1	7	3
8	7	3	1	4	5	2	6	9
7	2	4	8	3	6	9	1	5
6	9	5	4	1	7	3	8	2
1	3	8	9	5	2	6	4	7
4	6	2	3	7	1	5	9	8
9	5	7	6	2	8	4	3	1
3	8	1	5	9	4	7	2	6

149

8	9	1	4	2	7	5	3	6
5	7	2	6	9	3	8	4	1
3	4	6	5	8	1	7	2	9
7	1	8	2	6	4	9	5	3
6	2	3	9	7	5	1	8	4
9	5	4	3	1	8	2	6	7
1	3	5	7	4	2	6	9	8
2	8	9	1	3	6	4	7	5
4	6	7	8	5	9	3	1	2

150

2	8	6	4	9	3	1	7	5
4	9	7	8	1	5	2	3	6
5	1	3	7	2	6	9	4	8
8	7	9	1	3	4	5	6	2
6	4	1	5	8	2	3	9	7
3	5	2	9	6	7	4	8	1
9	2	8	6	4	1	7	5	3
7	3	4	2	5	8	6	1	9
1	6	5	3	7	9	8	2	4

151

6	3	4	9	2	7	5	8	1
8	2	5	1	3	6	9	4	7
9	1	7	4	5	8	6	3	2
1	4	2	3	9	5	8	7	6
5	6	9	8	7	2	3	1	4
7	8	3	6	4	1	2	5	9
3	5	1	2	6	4	7	9	8
4	7	6	5	8	9	1	2	3
2	9	8	7	1	3	4	6	5

152

3	9	5	2	7	4	8	6	1
6	2	8	5	3	1	9	7	4
4	1	7	6	8	9	2	5	3
1	5	9	7	4	2	3	8	6
2	7	4	3	6	8	5	1	9
8	6	3	9	1	5	4	2	7
5	3	1	8	9	6	7	4	2
9	4	2	1	5	7	6	3	8
7	8	6	4	2	3	1	9	5

153

3	4	9	5	6	1	2	7	8
1	6	5	2	7	8	9	3	4
2	7	8	4	9	3	5	6	1
5	1	2	6	8	4	3	9	7
6	8	7	3	1	9	4	5	2
9	3	4	7	5	2	8	1	6
7	2	1	8	3	5	6	4	9
8	9	3	1	4	6	7	2	5
4	5	6	9	2	7	1	8	3

154

4	1	3	6	2	8	9	7	5
7	5	6	3	9	1	2	4	8
8	9	2	7	4	5	6	3	1
2	4	7	8	5	6	1	9	3
6	8	1	9	3	7	5	2	4
5	3	9	4	1	2	8	6	7
1	7	5	2	6	4	3	8	9
9	6	8	5	7	3	4	1	2
3	2	4	1	8	9	7	5	6

155

5	3	4	2	6	1	8	7	9
2	6	9	8	7	4	3	1	5
1	7	8	5	9	3	2	4	6
3	9	2	6	1	5	4	8	7
4	8	7	9	3	2	5	6	1
6	1	5	7	4	8	9	2	3
9	4	3	1	8	6	7	5	2
8	2	1	3	5	7	6	9	4
7	5	6	4	2	9	1	3	8

156

9	7	6	1	3	8	4	2	5
5	3	4	2	6	9	7	8	1
2	1	8	7	5	4	3	6	9
6	2	9	3	1	7	8	5	4
3	4	1	8	9	5	2	7	6
7	8	5	4	2	6	9	1	3
1	9	3	6	8	2	5	4	7
8	6	7	5	4	3	1	9	2
4	5	2	9	7	1	6	3	8

157

6	5	9	1	7	4	8	2	3
3	4	1	2	9	8	6	7	5
7	2	8	3	5	6	4	9	1
1	7	2	5	4	3	9	8	6
5	6	3	8	2	9	7	1	4
8	9	4	7	6	1	5	3	2
9	1	5	6	3	7	2	4	8
4	8	6	9	1	2	3	5	7
2	3	7	4	8	5	1	6	9

158

8	9	2	6	7	1	3	5	4
3	1	5	2	4	9	6	7	8
7	4	6	8	3	5	1	2	9
5	8	1	9	2	7	4	3	6
6	7	4	3	5	8	2	9	1
9	2	3	4	1	6	5	8	7
1	6	8	5	9	3	7	4	2
2	5	9	7	6	4	8	1	3
4	3	7	1	8	2	9	6	5

159

6	5	1	2	9	4	3	8	7
2	9	4	7	8	3	5	1	6
7	8	3	1	6	5	2	9	4
4	3	8	9	7	2	6	5	1
1	7	2	5	3	6	8	4	9
5	6	9	8	4	1	7	3	2
8	1	6	4	5	7	9	2	3
3	4	5	6	2	9	1	7	8
9	2	7	3	1	8	4	6	5

160

5	2	4	3	6	9	1	8	7
3	8	7	1	2	5	6	9	4
1	9	6	7	4	8	2	3	5
2	1	5	4	8	3	9	7	6
6	7	9	5	1	2	3	4	8
8	4	3	9	7	6	5	1	2
9	3	8	2	5	4	7	6	1
7	6	2	8	3	1	4	5	9
4	5	1	6	9	7	8	2	3

161

6	8	3	7	1	5	2	4	9
5	4	2	3	9	6	8	1	7
1	9	7	2	8	4	6	3	5
4	5	1	6	7	9	3	8	2
3	6	9	8	4	2	5	7	1
7	2	8	5	3	1	4	9	6
9	1	5	4	6	8	7	2	3
8	7	6	1	2	3	9	5	4
2	3	4	9	5	7	1	6	8

162

8	7	5	9	1	3	2	6	4
4	2	1	6	5	7	8	3	9
6	3	9	8	2	4	5	7	1
2	8	4	1	3	6	7	9	5
5	9	7	4	8	2	6	1	3
3	1	6	7	9	5	4	8	2
9	5	2	3	6	8	1	4	7
1	4	8	5	7	9	3	2	6
7	6	3	2	4	1	9	5	8

163

1	4	7	8	5	3	6	2	9
2	8	3	9	6	7	5	1	4
9	5	6	4	2	1	7	3	8
6	2	1	7	4	9	8	5	3
7	9	8	1	3	5	4	6	2
4	3	5	6	8	2	9	7	1
8	1	4	2	7	6	3	9	5
3	6	2	5	9	8	1	4	7
5	7	9	3	1	4	2	8	6

164

5	7	6	3	4	9	1	8	2
4	3	8	5	1	2	7	6	9
1	2	9	7	6	8	3	4	5
9	6	1	4	3	7	2	5	8
2	8	4	9	5	1	6	3	7
3	5	7	2	8	6	9	1	4
7	1	5	6	2	4	8	9	3
8	9	3	1	7	5	4	2	6
6	4	2	8	9	3	5	7	1

165

5	3	4	9	8	6	7	2	1
2	8	9	3	7	1	5	6	4
6	7	1	4	5	2	9	8	3
1	5	2	8	6	4	3	9	7
8	4	3	7	2	9	6	1	5
7	9	6	5	1	3	2	4	8
3	1	7	6	9	8	4	5	2
9	2	5	1	4	7	8	3	6
4	6	8	2	3	5	1	7	9

166

3	4	9	2	6	5	1	7	8
5	6	2	1	8	7	4	9	3
8	7	1	4	3	9	5	6	2
1	9	7	5	4	8	3	2	6
4	3	8	6	1	2	9	5	7
2	5	6	9	7	3	8	4	1
6	2	4	8	5	1	7	3	9
7	8	5	3	9	6	2	1	4
9	1	3	7	2	4	6	8	5

167

7	2	0	3	9	6	1	5	4
9	3	4	5	7	1	8	6	2
6	5	1	4	8	2	3	7	9
4	1	2	6	3	5	9	8	7
8	7	5	2	1	9	4	3	6
3	6	9	7	4	8	5	2	1
1	9	7	8	6	3	2	4	5
5	8	6	9	2	4	7	1	3
2	4	3	1	5	7	6	9	8

168

9	2	1	8	7	3	6	4	5
4	6	8	5	9	2	3	1	7
3	5	7	1	6	4	2	9	8
5	3	4	2	1	9	7	8	6
8	1	9	7	5	6	4	2	3
2	7	6	4	3	8	1	5	9
7	4	3	9	2	5	8	6	1
1	8	5	6	4	7	9	3	2
6	9	2	3	8	1	5	7	4

169

5	9	4	6	3	1	2	7	8
6	3	1	2	7	8	4	5	9
8	2	7	9	4	5	3	1	6
4	5	9	1	6	3	8	2	7
7	8	2	5	9	4	6	3	1
1	6	3	8	2	7	9	4	5
2	7	8	4	5	9	1	6	3
9	4	5	3	1	6	7	8	2
3	1	6	7	8	2	5	9	4

170

3	9	7	8	2	6	1	5	4
4	1	8	3	9	5	6	2	7
6	2	5	7	4	1	9	8	3
2	4	6	1	7	8	5	3	9
5	3	9	2	6	4	7	1	8
7	8	1	5	3	9	2	4	6
8	5	3	9	1	7	4	6	2
9	6	2	4	5	3	8	7	1
1	7	4	6	8	2	3	9	5

171

8	4	7	5	3	9	1	6	2
6	3	2	4	7	1	5	8	9
5	9	1	2	6	8	3	7	4
3	7	9	6	2	5	4	1	8
1	6	8	9	4	3	7	2	5
2	5	4	1	8	7	6	9	3
4	1	3	8	9	6	2	5	7
7	8	6	3	5	2	9	4	1
9	2	5	7	1	4	8	3	6

172

9	4	6	2	8	1	5	3	7
1	3	5	7	9	4	8	6	2
2	8	7	3	5	6	9	1	4
6	5	1	4	2	7	3	9	8
4	2	8	9	3	5	1	7	6
7	9	3	6	1	8	2	4	5
8	7	2	1	6	9	4	5	3
5	6	9	8	4	3	7	2	1
3	1	4	5	7	2	6	8	9

173

6	8	4	7	1	5	2	3	9
2	3	9	6	8	4	7	1	5
7	1	5	2	3	9	6	8	4
1	5	2	3	9	6	8	4	7
3	9	6	8	4	7	1	5	2
8	4	7	1	5	2	3	9	6
4	7	1	5	2	3	9	6	8
9	6	8	4	7	1	5	2	3
5	2	3	9	6	8	4	7	1

174

4	5	1	7	6	8	3	2	9
9	3	7	4	1	2	8	5	6
6	8	2	9	3	5	4	1	7
5	6	4	2	8	7	1	9	3
1	7	3	6	4	9	5	8	2
8	2	9	3	5	1	7	6	4
3	4	5	1	9	6	2	7	8
7	9	8	5	2	4	6	3	1
2	1	6	8	7	3	9	4	5

175

7	6	1	3	2	5	8	4	9
2	8	9	6	4	7	3	1	5
3	4	5	8	1	9	6	2	7
8	7	2	9	3	1	4	5	6
6	9	3	5	8	4	2	7	1
1	5	4	7	6	2	9	3	8
5	3	8	4	7	6	1	9	2
4	1	7	2	9	8	5	6	3
9	2	6	1	5	3	7	8	4

176

4	1	6	2	5	3	7	8	9
8	5	3	9	7	4	6	2	1
7	9	2	8	1	6	5	3	4
5	8	4	7	6	9	2	1	3
9	6	1	3	4	2	8	7	5
2	3	7	5	8	1	9	4	6
6	7	9	1	3	8	4	5	2
3	4	8	6	2	5	1	9	7
1	2	5	4	9	7	3	6	8

177

7	2	9	4	1	3	5	8	6
3	1	6	7	5	8	4	9	2
5	4	8	9	6	2	1	3	7
8	3	2	5	4	7	9	6	1
4	7	1	6	8	9	3	2	5
9	6	5	2	3	1	7	4	8
2	9	3	8	7	5	6	1	4
1	5	4	3	2	6	8	7	9
6	8	7	1	9	4	2	5	3

178

3	6	2	4	9	1	5	8	7
8	5	4	7	6	2	3	9	1
1	7	9	3	8	5	2	6	4
4	3	1	8	5	6	7	2	9
6	2	5	9	7	3	4	1	8
7	9	8	2	1	4	6	3	5
2	8	3	5	4	9	1	7	6
9	4	6	1	3	7	8	5	2
5	1	7	6	2	8	9	4	3

179

7	4	1	8	5	2	3	6	9
3	5	2	4	6	9	7	8	1
8	9	6	3	7	1	4	2	5
5	8	4	9	1	3	6	7	2
1	2	9	7	8	6	5	4	3
6	3	7	2	4	5	9	1	8
9	7	8	1	3	4	2	5	6
4	6	3	5	2	8	1	9	7
2	1	5	6	9	7	8	3	4

180

7	1	5	8	4	2	3	6	9
6	3	2	7	1	9	8	5	4
4	9	8	3	5	6	1	2	7
5	6	7	1	9	8	4	3	2
1	2	9	4	7	3	6	8	5
8	4	3	2	6	5	7	9	1
3	5	1	6	2	7	9	4	8
9	7	6	5	8	4	2	1	3
2	8	4	9	3	1	5	7	6

181

9	5	4	3	7	2	8	1	6
8	1	2	4	6	5	3	9	7
7	6	3	1	8	9	4	2	5
1	8	9	7	5	3	6	4	2
2	4	6	8	9	1	5	7	3
3	7	5	2	4	6	9	8	1
6	3	1	9	2	4	7	5	8
5	9	7	6	1	8	2	3	4
4	2	8	5	3	7	1	6	9

182

4	5	1	8	3	9	6	7	2
6	2	3	5	4	7	1	8	9
8	9	7	2	6	1	4	3	5
3	8	4	6	9	2	7	5	1
9	1	6	4	7	5	3	2	8
2	7	5	1	8	3	9	4	6
7	4	8	9	5	6	2	1	3
5	6	2	3	1	4	8	9	7
1	3	9	7	2	8	5	6	4

183

3	6	2	7	4	8	5	9	1
8	4	7	1	9	5	3	6	2
5	9	1	2	6	3	8	4	7
9	1	3	8	2	6	4	7	5
6	2	8	5	7	4	9	1	3
4	7	5	3	1	9	6	2	8
7	5	9	6	3	1	2	8	4
1	3	6	4	8	2	7	5	9
2	8	4	9	5	7	1	3	6

184

7	6	5	8	9	1	4	3	2
2	4	9	6	3	7	5	1	8
1	8	3	4	5	2	6	7	9
4	5	1	7	8	3	2	9	6
3	9	2	1	6	5	7	8	4
6	7	8	2	4	9	1	5	3
8	1	4	9	7	6	3	2	5
9	3	7	5	2	4	8	6	1
5	2	6	3	1	8	9	4	7

185

9	8	3	7	6	2	5	1	4
4	1	6	5	9	3	2	7	8
2	7	5	8	4	1	3	9	6
7	5	2	9	3	8	4	6	1
6	4	1	2	7	5	8	3	9
8	3	9	4	1	6	7	5	2
3	6	8	1	5	4	9	2	7
1	2	7	3	8	9	6	4	5
5	9	4	6	2	7	1	8	3

186

7	3	4	1	9	5	8	6	2
6	5	9	4	8	2	1	7	3
1	8	2	6	7	3	5	4	9
9	2	7	5	3	6	4	8	1
8	6	1	7	4	9	2	3	5
5	4	3	2	1	8	6	9	7
2	9	8	3	6	1	7	5	4
4	1	6	9	5	7	3	2	8
3	7	5	8	2	4	9	1	6

187

7	3	8	9	4	5	6	2	1
1	6	5	7	2	8	3	9	4
4	2	9	6	1	3	5	8	7
3	5	1	8	9	2	7	4	6
8	7	2	3	6	4	9	1	5
9	4	6	1	5	7	2	3	8
2	8	7	4	3	6	1	5	9
6	9	3	5	8	1	4	7	2
5	1	4	2	7	9	8	6	3

188

8	4	6	9	2	7	3	5	1
7	3	5	6	1	4	8	2	9
9	1	2	8	3	5	6	7	4
4	6	3	1	5	2	7	9	8
1	2	7	3	8	9	5	4	6
5	8	9	4	7	6	2	1	3
3	5	1	7	9	8	4	6	2
2	9	4	5	6	3	1	8	7
6	7	8	2	4	1	9	3	5

189

7	6	9	1	4	3	2	8	5
8	4	2	9	5	6	1	7	3
5	3	1	8	2	7	4	9	6
9	5	6	4	7	8	3	1	2
2	1	8	6	3	9	5	4	7
4	7	3	5	1	2	8	6	9
3	2	4	7	9	1	6	5	8
6	9	5	3	8	4	7	2	1
1	8	7	2	6	5	9	3	4

190

8	9	3	7	4	5	6	2	1
1	2	4	9	6	3	7	5	8
6	7	5	2	1	8	9	4	3
2	5	8	1	9	4	3	7	6
7	4	1	5	3	6	2	8	9
9	3	6	8	7	2	4	1	5
5	8	7	6	2	9	1	3	4
4	1	9	3	5	7	8	6	2
3	6	2	4	8	1	5	9	7

191

8	4	6	3	5	9	2	1	7
3	9	2	8	1	7	6	5	4
7	1	5	2	4	6	9	8	3
6	8	4	1	7	5	3	9	2
1	5	7	9	3	2	8	4	6
2	3	9	4	6	8	1	7	5
9	7	3	6	8	4	5	2	1
5	6	8	7	2	1	4	3	9
4	2	1	5	9	3	7	6	8

192

6	8	3	7	9	4	2	1	5
9	4	7	1	5	2	8	3	6
5	2	1	3	6	8	4	7	9
1	5	8	4	3	6	9	2	7
3	6	4	2	7	9	5	8	1
7	9	2	8	1	5	6	4	3
2	7	5	6	8	1	3	9	4
8	1	6	9	4	3	7	5	2
4	3	9	5	2	7	1	6	8

193

8	1	4	9	6	7	3	5	2
2	3	9	4	5	1	6	7	8
7	5	6	2	3	8	4	9	1
6	9	8	7	2	4	5	1	3
4	7	5	8	1	3	2	6	9
1	2	3	5	9	6	8	4	7
9	8	2	1	4	5	7	3	6
3	4	7	6	8	9	1	2	5
5	6	1	3	7	2	9	8	4

194

5	4	8	3	1	7	2	6	9
6	9	2	4	5	8	3	7	1
7	1	3	9	6	2	4	8	5
3	7	1	6	2	9	5	4	8
2	6	9	5	8	4	1	3	7
8	5	4	1	7	3	9	2	6
4	8	5	7	3	1	6	9	2
9	2	6	8	4	5	7	1	3
1	3	7	2	9	6	8	5	4

195

7	9	3	8	6	4	2	5	1
8	2	6	5	7	1	4	3	9
4	5	1	9	3	2	6	7	8
5	3	2	6	4	8	9	1	7
6	4	8	7	1	9	3	2	5
9	1	7	3	2	5	8	6	4
3	6	5	4	9	7	1	8	2
1	7	4	2	8	3	5	9	6
2	8	9	1	5	6	7	4	3

196

6	5	7	4	3	9	8	1	2
2	3	8	5	1	6	7	9	4
9	4	1	7	8	2	5	6	3
5	1	6	2	9	7	4	3	8
3	8	9	1	5	4	6	2	7
4	7	2	3	6	8	1	5	9
7	9	4	6	2	1	3	8	5
8	6	3	9	4	5	2	7	1
1	2	5	8	7	3	9	4	6

197

7	2	9	6	4	5	3	1	8
3	5	8	2	9	1	6	7	4
1	6	4	3	8	7	9	2	5
9	7	3	1	5	4	2	8	6
8	4	5	7	2	6	1	9	3
6	1	2	8	3	9	5	4	7
2	8	7	5	1	3	4	6	9
4	3	1	9	6	8	7	5	2
5	9	6	4	7	2	8	3	1

198

2	6	8	9	3	1	7	5	4
3	9	5	2	7	4	8	1	6
4	7	1	8	6	5	2	9	3
8	3	9	6	2	7	5	4	1
5	2	7	4	1	3	9	6	8
1	4	6	5	8	9	3	2	7
6	1	3	7	9	2	4	8	5
9	8	4	3	5	6	1	7	2
7	5	2	1	4	8	6	3	9

199

9	7	6	3	2	8	4	5	1
1	4	8	9	7	5	3	2	6
3	5	2	6	1	4	7	8	9
4	8	9	7	5	2	6	1	3
2	6	7	1	3	9	5	4	8
5	1	3	8	4	6	2	9	7
8	2	1	4	6	7	9	3	5
7	3	5	2	9	1	8	6	4
6	9	4	5	8	3	1	7	2

200

2	3	7	5	1	8	9	6	4
1	8	5	9	6	4	3	7	2
9	6	4	7	2	3	5	8	1
5	7	1	3	8	2	6	4	9
8	4	3	6	5	9	1	2	7
6	9	2	4	7	1	8	3	5
3	2	8	1	4	5	7	9	6
4	1	6	8	9	7	2	5	3
7	5	9	2	3	6	4	1	8

201

6	2	5	3	9	1	7	4	8
7	3	8	2	5	4	6	9	1
4	1	9	6	7	8	2	3	5
3	9	4	1	6	2	5	8	7
2	7	6	8	4	5	3	1	9
8	5	1	7	3	9	4	6	2
1	6	7	9	2	3	8	5	4
5	8	3	4	1	7	9	2	6
9	4	2	5	8	6	1	7	3

202

8	1	6	7	5	9	3	2	4
7	5	2	3	4	1	6	8	9
4	9	3	6	2	8	7	1	5
1	4	9	8	3	2	5	7	6
2	7	5	9	1	6	8	4	3
6	3	8	4	7	5	2	9	1
3	8	1	5	9	7	4	6	2
5	2	7	1	6	4	9	3	8
9	6	4	2	8	3	1	5	7

203

1	5	3	9	8	7	6	4	2
8	7	6	3	4	2	1	9	5
4	9	2	5	1	6	3	7	8
2	4	7	1	5	9	8	6	3
3	6	1	8	7	4	2	5	9
5	8	9	6	2	3	7	1	4
6	1	8	4	3	5	9	2	7
7	3	5	2	9	1	4	8	6
9	2	4	7	6	8	5	3	1

204

9	8	1	2	7	6	3	4	5
4	3	2	9	8	5	1	7	6
5	6	7	3	4	1	2	8	9
7	4	9	1	3	2	5	6	8
6	5	3	4	9	8	7	1	2
2	1	8	5	6	7	9	3	4
8	2	4	7	5	3	6	9	1
1	7	6	8	2	9	4	5	3
3	9	5	6	1	4	8	2	7

205

4	9	3	7	5	8	2	6	1
2	7	1	3	6	9	4	8	5
5	8	6	4	2	1	9	7	3
1	2	5	8	9	3	7	4	6
9	3	4	6	7	5	1	2	8
8	6	7	2	1	4	5	3	9
7	5	2	9	3	6	8	1	4
6	1	8	5	4	2	3	9	7
3	4	9	1	8	7	6	5	2

206

8	1	2	4	9	5	6	3	7
6	5	9	8	3	7	2	4	1
4	7	3	2	6	1	5	9	8
3	8	4	1	5	6	7	2	9
2	6	1	7	4	9	3	8	5
5	9	7	3	8	2	4	1	6
9	4	8	5	7	3	1	6	2
7	2	6	9	1	4	8	5	3
1	3	5	6	2	8	9	7	4

207

9	3	5	6	4	2	7	8	1
8	2	1	5	9	7	6	4	3
6	4	7	3	1	8	5	9	2
2	1	9	4	3	6	8	7	5
5	8	6	2	7	1	9	3	4
3	7	4	9	8	5	1	2	6
4	6	8	1	2	9	3	5	7
7	5	3	8	6	4	2	1	9
1	9	2	7	5	3	4	6	8

208

5	2	4	6	1	7	8	3	9
9	8	6	2	3	4	5	7	1
1	3	7	8	5	9	2	6	4
7	4	2	1	9	3	6	5	8
3	6	5	4	8	2	9	1	7
8	1	9	7	6	5	3	4	2
4	5	8	3	2	1	7	9	6
6	9	1	5	7	8	4	2	3
2	7	3	9	4	6	1	8	5

209

5	9	4	1	7	8	3	6	2
2	7	3	6	5	9	8	1	4
8	6	1	3	4	2	7	5	9
1	8	7	9	6	3	2	4	5
4	5	9	2	1	7	6	3	8
3	2	6	5	8	4	9	7	1
7	1	2	8	3	5	4	9	6
9	4	5	7	2	6	1	8	3
6	3	8	4	9	1	5	2	7

210

5	1	9	7	4	6	3	2	8
2	4	6	8	3	9	7	5	1
3	8	7	5	2	1	4	9	6
4	7	1	9	8	3	2	6	5
8	6	5	4	7	2	9	1	3
9	3	2	1	6	5	8	7	4
7	2	3	6	1	8	5	4	9
6	5	8	2	9	4	1	3	7
1	9	4	3	5	7	6	8	2

211

6	7	3	9	2	8	1	5	4
9	2	4	5	7	1	3	8	6
1	5	8	3	4	6	9	7	2
8	9	7	1	6	3	2	4	5
3	6	2	7	5	4	8	1	9
5	4	1	8	9	2	6	3	7
7	1	6	4	3	9	5	2	8
4	3	9	2	8	5	7	6	1
2	8	5	6	1	7	4	9	3

212

6	5	1	8	7	9	4	2	3
7	9	3	2	4	1	6	8	5
2	8	4	5	6	3	9	1	7
3	7	9	4	1	6	8	5	2
1	4	5	3	8	2	7	9	6
8	6	2	7	9	5	1	3	4
9	2	7	1	3	4	5	6	8
5	1	8	6	2	7	3	4	9
4	3	6	9	5	8	2	7	1

213

2	1	9	6	5	3	8	7	4
5	6	8	2	7	4	9	3	1
3	4	7	9	1	8	6	2	5
8	2	5	1	4	9	7	6	3
4	9	6	3	8	7	1	5	2
7	3	1	5	2	6	4	9	8
9	8	2	4	6	5	3	1	7
6	5	4	7	3	1	2	8	9
1	7	3	8	9	2	5	4	6

214

1	7	8	5	3	6	9	2	4
5	4	6	1	9	2	8	7	3
2	9	3	7	4	8	5	6	1
9	3	4	2	8	1	6	5	7
6	2	7	9	5	4	1	3	8
8	5	1	6	7	3	4	9	2
4	6	9	3	1	7	2	8	5
3	1	2	8	6	5	7	4	9
7	8	5	4	2	9	3	1	6

215

6	8	7	2	9	1	3	4	5
1	5	2	3	6	4	7	9	8
4	3	9	8	7	5	2	1	6
7	2	1	9	5	8	4	6	3
5	9	6	4	1	3	8	2	7
3	4	8	6	2	7	1	5	9
8	6	4	5	3	2	9	7	1
2	7	5	1	8	9	6	3	4
9	1	3	7	4	6	5	8	2

216

8	7	1	9	4	3	2	6	5
3	6	5	2	7	8	9	4	1
4	2	9	6	1	5	3	8	7
1	4	7	5	3	6	8	9	2
5	8	6	7	2	9	1	3	4
9	3	2	1	8	4	5	7	6
2	1	3	8	6	7	4	5	9
6	5	4	3	9	2	7	1	8
7	9	8	4	5	1	6	2	3

217

2	4	1	6	7	8	3	5	9
9	8	6	3	5	1	2	7	4
5	3	7	9	2	4	8	6	1
3	2	9	8	4	6	5	1	7
1	5	8	2	9	7	4	3	6
7	6	4	1	3	5	9	2	8
4	7	3	5	6	9	1	8	2
8	9	5	7	1	2	6	4	3
6	1	2	4	8	3	7	9	5

218

4	6	9	8	3	1	7	2	5
1	3	8	2	7	5	6	9	4
2	7	5	4	6	9	3	1	8
3	5	4	9	2	6	8	7	1
9	1	7	5	4	8	2	3	6
8	2	6	7	1	3	4	5	9
5	9	2	3	8	4	1	6	7
6	4	3	1	5	7	9	8	2
7	8	1	6	9	2	5	4	3

219

8	5	7	6	2	1	9	4	3
6	4	3	9	7	8	5	2	1
1	2	9	4	3	5	7	8	6
3	8	1	7	4	2	6	5	9
5	7	2	8	9	6	3	1	4
9	6	4	5	1	3	2	7	8
7	9	8	2	6	4	1	3	5
2	1	5	3	8	9	4	6	7
4	3	6	1	5	7	8	9	2

220

4	7	8	9	5	1	6	3	2
2	9	6	3	4	8	7	5	1
3	5	1	6	2	7	4	9	8
7	8	5	1	9	6	2	4	3
6	2	9	4	8	3	5	1	7
1	3	4	2	7	5	9	8	6
5	6	3	7	1	9	8	2	4
9	4	7	8	3	2	1	6	5
8	1	2	5	6	4	3	7	9

221

8	7	2	9	5	1	3	4	6
1	6	9	7	3	4	5	2	8
5	4	3	6	2	8	7	1	9
3	2	6	8	7	9	1	5	4
7	8	1	5	4	2	6	9	3
4	9	5	1	6	3	2	8	7
2	5	4	3	9	6	8	7	1
6	1	7	4	8	5	9	3	2
9	3	8	2	1	7	4	6	5

222

4	3	9	1	5	6	7	2	8
7	5	1	3	8	2	6	9	4
6	2	8	7	4	9	5	3	1
5	8	7	9	6	4	2	1	3
1	9	2	5	3	7	4	8	6
3	4	6	2	1	8	9	5	7
8	7	5	6	2	3	1	4	9
2	6	3	4	9	1	8	7	5
9	1	4	8	7	5	3	6	2

223

6	2	9	8	5	3	1	7	4
7	4	8	6	1	2	5	9	3
3	5	1	9	4	7	8	2	6
1	9	3	4	2	5	6	8	7
4	7	6	3	8	1	9	5	2
5	8	2	7	9	6	4	3	1
9	6	5	2	7	4	3	1	8
8	3	7	1	6	9	2	4	5
2	1	4	5	3	8	7	6	9

224

6	3	5	4	8	1	9	2	7
7	2	8	3	9	5	1	6	4
4	1	9	6	2	7	3	8	5
2	5	4	7	1	3	6	9	8
1	8	7	9	5	6	4	3	2
9	6	3	2	4	8	7	5	1
3	9	2	8	7	4	5	1	6
8	7	1	5	6	9	2	4	3
5	4	6	1	3	2	8	7	9

225

9	3	4	7	1	5	2	8	6
7	1	6	8	2	4	9	3	5
5	2	8	9	3	6	4	1	7
2	7	1	3	4	8	5	6	9
6	5	3	2	7	9	8	4	1
8	4	9	6	5	1	3	7	2
1	8	7	5	9	3	6	2	4
4	6	5	1	8	2	7	9	3
3	9	2	4	6	7	1	5	8

226

5	2	3	4	7	8	1	9	6
9	8	4	1	6	3	7	5	2
6	7	1	2	5	9	3	4	8
1	3	7	9	2	5	8	6	4
4	9	8	6	3	7	5	2	1
2	6	5	8	4	1	9	3	7
3	5	6	7	8	4	2	1	9
8	4	9	3	1	2	6	7	5
7	1	2	5	9	6	4	8	3

227

5	2	7	3	8	6	1	9	4
4	3	6	7	9	1	2	5	8
8	1	9	2	5	4	7	3	6
6	9	4	5	2	3	8	7	1
7	8	3	4	1	9	6	2	5
1	5	2	6	7	8	9	4	3
9	6	5	8	3	7	4	1	2
2	7	8	1	4	5	3	6	9
3	4	1	9	6	2	5	8	7

228

2	6	5	1	8	9	4	7	3
1	7	4	3	5	2	8	6	9
3	9	8	6	4	7	2	1	5
9	2	3	4	6	1	7	5	8
8	1	6	9	7	5	3	4	2
4	5	7	2	3	8	1	9	6
5	8	9	7	1	3	6	2	4
6	3	1	5	2	4	9	8	7
7	4	2	8	9	6	5	3	1

229

9	2	4	1	8	3	5	7	6
5	6	7	2	9	4	8	1	3
8	1	3	7	5	6	9	4	2
4	5	1	3	2	8	7	6	9
6	3	9	4	1	7	2	8	5
2	7	8	9	6	5	1	3	4
7	9	6	8	3	2	4	5	1
1	8	5	6	4	9	3	2	7
3	4	2	5	7	1	6	9	8

230

3	7	9	1	2	4	8	5	6
5	8	6	9	3	7	1	2	4
2	1	4	6	5	8	9	3	7
8	9	2	7	6	3	4	1	5
4	5	7	8	9	1	3	6	2
6	3	1	5	4	2	7	9	8
9	2	3	4	8	5	6	7	1
7	6	8	2	1	9	5	4	3
1	4	5	3	7	6	2	8	9

231

8	3	1	2	5	9	7	4	6
4	5	9	6	7	8	1	2	3
2	7	6	4	1	3	9	8	5
6	2	7	1	9	5	8	3	4
3	4	5	7	8	2	6	1	9
1	9	8	3	6	4	5	7	2
7	6	3	9	4	1	2	5	8
5	1	2	8	3	6	4	9	7
9	8	4	5	2	7	3	6	1

232

8	6	2	7	3	5	9	4	1
4	5	1	2	9	8	7	3	6
9	3	7	1	6	4	8	5	2
6	1	4	5	2	7	3	8	9
3	2	9	8	4	6	5	1	7
5	7	8	3	1	9	2	6	4
1	9	3	4	8	2	6	7	5
7	4	6	9	5	3	1	2	8
2	8	5	6	7	1	4	9	3

233

1	8	3	5	4	2	6	9	7
7	2	4	8	6	9	5	1	3
6	9	5	1	7	3	4	2	8
3	5	6	7	2	4	9	8	1
2	1	8	6	9	5	7	3	4
4	7	9	3	1	8	2	5	6
9	4	1	2	3	7	8	6	5
5	3	7	9	8	6	1	4	2
8	6	2	4	5	1	3	7	9

234

6	3	7	8	2	9	1	5	4
9	4	5	6	1	7	2	8	3
2	1	8	5	3	4	9	7	6
8	5	6	1	4	3	7	9	2
7	2	3	9	6	8	4	1	5
1	9	4	7	5	2	6	3	8
4	8	2	3	9	1	5	6	7
5	7	9	4	8	6	3	2	1
3	6	1	2	7	5	8	4	9

235

3	1	6	4	7	9	5	8	2
9	5	4	8	2	6	7	3	1
7	2	8	3	1	5	6	4	9
8	9	1	7	3	4	2	6	5
2	6	3	1	5	8	9	7	4
5	4	7	9	6	2	3	1	8
1	8	5	6	9	7	4	2	3
6	3	2	5	4	1	8	9	7
4	7	9	2	8	3	1	5	6

236

2	1	3	6	7	4	5	8	9
9	6	7	5	3	8	1	2	4
8	4	5	9	2	1	3	6	7
1	3	9	2	4	6	8	7	5
6	7	4	8	5	9	2	3	1
5	8	2	3	1	7	4	9	6
4	5	6	7	8	2	9	1	3
3	9	8	1	6	5	7	4	2
7	2	1	4	9	3	6	5	8

237

4	6	2	7	3	9	8	5	1
8	5	7	1	6	4	3	9	2
1	3	9	2	5	8	7	6	4
3	4	6	9	7	5	1	2	8
2	1	5	8	4	3	9	7	6
9	7	8	6	1	2	5	4	3
6	9	4	5	8	1	2	3	7
5	8	3	4	2	7	6	1	9
7	2	1	3	9	6	4	8	5

238

2	8	9	1	6	4	5	3	7
6	1	5	9	3	7	2	8	4
4	7	3	2	5	8	9	6	1
9	6	2	8	7	3	1	4	5
8	5	4	6	1	9	3	7	2
7	3	1	5	4	2	8	9	6
1	9	8	7	2	6	4	5	3
3	2	6	4	8	5	7	1	9
5	4	7	3	9	1	6	2	8

239

7	9	6	2	5	4	3	8	1
3	8	2	7	6	1	4	9	5
5	4	1	9	3	8	7	6	2
2	6	4	8	7	3	1	5	9
1	3	5	6	9	2	8	4	7
9	7	8	4	1	5	2	3	6
6	2	3	5	4	7	9	1	8
8	1	9	3	2	6	5	7	4
4	5	7	1	8	9	6	2	3

240

8	4	3	5	6	2	7	1	9
7	5	2	4	1	9	8	6	3
9	1	6	8	7	3	5	4	2
3	6	5	7	2	1	4	9	8
4	2	9	6	5	8	1	3	7
1	8	7	9	3	4	6	2	5
2	3	8	1	4	7	9	5	6
5	7	1	2	9	6	3	8	4
6	9	4	3	8	5	2	7	1

241

6	7	3	2	4	8	5	1	9
4	1	8	9	5	6	2	7	3
9	2	5	3	7	1	8	4	6
1	6	2	5	8	7	3	9	4
8	4	9	6	1	3	7	5	2
3	5	7	4	9	2	6	8	1
7	8	6	1	3	4	9	2	5
5	3	1	7	2	9	4	6	8
2	9	4	8	6	5	1	3	7

242

2	3	4	6	1	5	7	8	9
6	8	7	9	3	4	1	5	2
9	1	5	7	2	8	4	6	3
4	6	2	1	8	3	5	9	7
7	5	1	4	9	2	8	3	6
8	9	3	5	6	7	2	4	1
5	4	9	2	7	6	3	1	8
1	2	8	3	4	9	6	7	5
3	7	6	8	5	1	9	2	4

243

6	9	3	7	5	2	8	4	1
7	4	2	1	8	6	5	9	3
5	8	1	9	4	3	2	6	7
3	5	9	6	1	8	4	7	2
8	2	7	4	9	5	1	3	6
4	1	6	3	2	7	9	5	8
1	7	5	8	6	9	3	2	4
9	6	8	2	3	4	7	1	5
2	3	4	5	7	1	6	8	9

244

5	9	7	4	8	1	6	3	2
6	1	3	2	7	9	5	8	4
2	8	4	5	6	3	1	9	7
8	3	1	6	2	7	9	4	5
4	5	2	9	3	8	7	6	1
9	7	6	1	4	5	3	2	8
7	6	8	3	5	2	4	1	9
1	4	5	8	9	6	2	7	3
3	2	9	7	1	4	8	5	6

245

6	3	8	1	9	4	5	2	7
5	7	9	6	2	8	1	3	4
1	4	2	3	5	7	6	8	9
3	6	1	7	4	2	8	9	5
7	2	5	8	6	9	4	1	3
8	9	4	5	3	1	7	6	2
2	5	3	4	8	6	9	7	1
4	8	7	9	1	3	2	5	6
9	1	6	2	7	5	3	4	8

246

5	2	8	3	4	9	1	6	7
1	9	7	8	6	5	2	4	3
3	6	4	1	7	2	8	9	5
4	8	9	5	2	1	3	7	6
7	5	1	6	9	3	4	2	8
6	3	2	4	8	7	9	5	1
2	4	5	7	1	8	6	3	9
9	1	3	2	5	6	7	8	4
8	7	6	9	3	4	5	1	2

247

2	8	3	6	7	4	5	9	1
6	5	1	3	9	8	4	7	2
4	7	9	1	2	5	6	8	3
5	1	2	4	6	9	8	3	7
7	4	8	5	3	1	9	2	6
9	3	6	7	8	2	1	4	5
1	2	5	9	4	3	7	6	8
8	6	4	2	1	7	3	5	9
3	9	7	8	5	6	2	1	4

248

2	1	7	4	5	9	3	6	8
6	4	9	8	3	1	5	2	7
5	3	8	7	6	2	1	4	9
1	5	2	9	7	3	4	8	6
3	9	6	1	4	8	2	7	5
7	8	4	5	2	6	9	3	1
8	2	3	6	1	5	7	9	4
4	6	5	3	9	7	8	1	2
9	7	1	2	8	4	6	5	3

249

1	2	6	7	8	4	3	5	9
7	4	8	9	3	5	2	6	1
9	5	3	2	1	6	8	7	4
4	3	5	8	9	7	6	1	2
2	7	9	6	5	1	4	3	8
6	8	1	3	4	2	5	9	7
3	1	2	4	6	9	7	8	5
5	6	4	1	7	8	9	2	3
8	9	7	5	2	3	1	4	6

250

2	5	8	1	7	9	6	3	4
7	4	3	5	6	2	1	8	9
6	9	1	4	3	8	2	7	5
5	1	4	7	2	6	3	9	8
3	6	9	8	1	4	5	2	7
8	2	7	9	5	3	4	1	6
1	7	6	3	9	5	8	4	2
4	3	2	6	8	7	9	5	1
9	8	5	2	4	1	7	6	3

251

4	5	9	2	8	6	1	3	7
2	6	1	4	7	3	9	5	8
7	3	8	9	5	1	2	6	4
6	8	2	3	9	4	5	7	1
9	1	7	5	2	8	6	4	3
3	4	5	1	6	7	8	2	9
1	7	6	8	3	2	4	9	5
5	2	4	7	1	9	3	8	6
8	9	3	6	4	5	7	1	2

252

1	8	2	7	3	5	6	9	4
3	4	6	9	8	2	5	1	7
5	9	7	6	4	1	2	3	8
9	1	4	2	6	7	8	5	3
6	3	8	4	5	9	1	7	2
7	2	5	3	1	8	4	6	9
8	7	3	5	2	6	9	4	1
2	5	9	1	7	4	3	8	6
4	6	1	8	9	3	7	2	5

253

9	5	8	2	7	3	1	6	4
6	7	2	1	4	9	3	8	5
4	1	3	6	8	5	2	9	7
8	9	7	4	6	1	5	2	3
5	2	1	9	3	8	7	4	6
3	6	4	7	5	2	8	1	9
1	4	5	8	9	7	6	3	2
7	8	9	3	2	6	4	5	1
2	3	6	5	1	4	9	7	8

254

3	4	5	1	7	2	6	9	8
1	9	7	6	5	8	2	4	3
2	8	6	4	3	9	5	1	7
9	6	4	3	1	5	7	8	2
8	7	1	2	6	4	9	3	5
5	2	3	8	9	7	4	6	1
4	1	2	5	8	6	3	7	9
6	3	9	7	2	1	8	5	4
7	5	8	9	4	3	1	2	6

255

8	5	3	9	7	1	4	2	6
2	1	6	3	8	4	7	5	9
4	9	7	6	2	5	8	1	3
5	6	2	4	1	8	9	3	7
9	8	4	7	5	3	1	6	2
3	7	1	2	9	6	5	4	8
6	3	8	1	4	9	2	7	5
7	4	5	8	6	2	3	9	1
1	2	9	5	3	7	6	8	4

256

2	1	4	9	7	5	8	6	3
8	5	9	3	6	1	2	7	4
3	6	7	4	8	2	5	1	9
6	2	8	1	4	3	7	9	5
1	9	3	2	5	7	6	4	8
4	7	5	6	9	8	1	3	2
9	4	2	8	1	6	3	5	7
5	8	6	7	3	9	4	2	1
7	3	1	5	2	4	9	8	6

257

5	8	3	1	6	7	4	2	9
7	2	6	4	9	8	3	5	1
1	4	9	2	5	3	7	6	8
3	1	5	6	8	2	9	4	7
4	6	2	3	7	9	1	8	5
8	9	7	5	1	4	6	3	2
6	5	4	9	2	1	8	7	3
2	7	1	8	3	6	5	9	4
9	3	8	7	4	5	2	1	6

258

6	9	4	5	2	3	7	8	1
2	7	5	8	4	1	3	6	9
3	8	1	7	9	6	5	2	4
5	3	7	4	6	2	1	9	8
1	6	8	9	7	5	4	3	2
4	2	9	1	3	8	6	5	7
8	1	2	3	5	7	9	4	6
7	4	3	6	8	9	2	1	5
9	5	6	2	1	4	8	7	3

259

3	7	2	1	9	4	8	5	6
1	9	4	6	5	8	2	3	7
6	5	8	7	2	3	1	9	4
5	6	1	4	8	9	3	7	2
4	8	3	2	6	7	9	1	5
9	2	7	3	1	5	4	6	8
2	3	5	8	7	1	6	4	9
7	1	6	9	4	2	5	8	3
8	4	9	5	3	6	7	2	1

260

2	1	4	9	7	5	3	6	8
6	8	9	3	2	4	7	5	1
5	7	3	1	8	6	9	4	2
7	9	5	8	3	1	6	2	4
1	4	8	6	9	2	5	7	3
3	6	2	5	4	7	1	8	9
9	2	1	7	5	8	4	3	6
4	3	7	2	6	9	8	1	5
8	5	6	4	1	3	2	9	7

261

1	9	2	6	7	5	3	8	4
7	3	5	4	2	8	6	1	9
6	8	4	1	9	3	5	7	2
2	7	9	8	6	4	1	5	3
4	1	8	5	3	9	2	6	7
5	6	3	7	1	2	4	9	8
8	4	7	3	5	6	9	2	1
3	2	6	9	8	1	7	4	5
9	5	1	2	4	7	8	3	6

262

5	8	2	6	7	9	3	1	4
9	4	1	2	3	8	6	5	7
7	3	6	1	5	4	8	2	9
1	5	4	9	2	6	7	3	8
2	7	3	8	4	5	9	6	1
6	9	8	7	1	3	2	4	5
3	1	7	4	8	2	5	9	6
4	6	5	3	9	7	1	8	2
8	2	9	5	6	1	4	7	3

263

7	3	1	4	2	9	8	5	6
9	2	6	5	7	8	1	3	4
5	8	4	6	3	1	2	9	7
6	1	7	3	9	4	5	2	8
4	5	2	8	1	7	3	6	9
8	9	3	2	6	5	4	7	1
3	4	5	9	8	6	7	1	2
1	6	8	7	5	2	9	4	3
2	7	9	1	4	3	6	8	5

264

3	8	7	2	1	5	4	9	6
9	6	4	3	7	8	5	1	2
5	1	2	9	4	6	7	8	3
4	2	1	5	9	7	3	6	8
6	5	8	1	3	2	9	4	7
7	9	3	6	8	4	2	5	1
8	4	6	7	5	3	1	2	9
2	3	9	4	6	1	8	7	5
1	7	5	8	2	9	6	3	4

265

1	4	9	3	5	8	6	2	7
8	7	6	2	1	4	9	5	3
2	5	3	6	7	9	1	8	4
3	8	1	7	4	6	5	9	2
5	2	7	8	9	1	3	4	6
6	9	4	5	2	3	7	1	8
7	1	8	4	3	5	2	6	9
9	6	2	1	8	7	4	3	5
4	3	5	9	6	2	8	7	1

266

9	3	7	8	2	6	4	5	1
8	6	2	1	4	5	3	7	9
4	1	5	3	7	9	6	2	8
6	9	8	5	1	4	7	3	2
2	4	1	9	3	7	5	8	6
5	7	3	6	8	2	1	9	4
7	8	6	2	5	1	9	4	3
1	2	4	7	9	3	8	6	5
3	5	9	4	6	8	2	1	7

267

4	7	8	6	5	1	2	3	9
3	6	5	4	2	9	8	7	1
1	2	9	7	3	8	4	5	6
8	5	7	1	6	3	9	4	2
6	3	1	2	9	4	5	8	7
9	4	2	8	7	5	6	1	3
7	9	4	3	8	6	1	2	5
5	1	3	9	4	2	7	6	8
2	8	6	5	1	7	3	9	4

268

7	5	9	6	4	2	8	1	3
3	8	2	9	7	1	6	5	4
6	4	1	5	8	3	2	7	9
1	2	4	7	3	5	9	8	6
9	6	3	1	2	8	5	4	7
5	7	8	4	9	6	1	3	2
8	9	6	3	1	4	7	2	5
2	3	5	8	6	7	4	9	1
4	1	7	2	5	9	3	6	8

269

5	4	2	9	6	1	7	8	3
9	6	1	3	7	8	2	4	5
8	3	7	2	4	5	9	6	1
7	8	3	6	2	9	1	5	4
4	1	6	8	5	7	3	2	9
2	5	9	4	1	3	8	7	6
3	2	4	7	9	6	5	1	8
6	9	5	1	8	2	4	3	7
1	7	8	5	3	4	6	9	2